子ども同志の
響き合い讃歌

——ちがうから、豊かになれる

インクルーシブ（共生）教育研究所双書

堀　智晴　著

川島書店

〈緒　言〉

　ここに保育所聖愛園の「障害」児共同保育50周年を記念してブックレット（インクルーシブ（共生）教育研究所双書）を刊行することが出来ました。保育所聖愛園とは，大阪市北部の淡路にある法人，路交館にある保育園ですが，現在は，幼保連携型認定こども園になっています。

　保育園になる前は，教会立の幼稚園でした。1972年にこの幼稚園に二人のお母さんが障がいのある我が子の保育をしてほしいと訪ねてきたことから，「障がい」児共同保育の取り組みが始まりました。そして，早くも半世紀が経ちました。

　この間，「障がい」児共同保育は，理論的にも実践的にも波打つかの如く変遷し今日に至っています。今の保育でいいのか，今の福祉事業でいいのか，と絶えず具体的な問題を通して問い直してきました。

　この理論的，実践的な変遷の経緯は，枝本信一郎さんのブックレットを読んでいただくと分かっていただけるでしょう。

　また，保育所聖愛園は，韓国の保育団体とも連帯して保育の社会的な意味と実践とを深める取り組みをしてきました。この日韓の保育交流に貢献していただいた金徳煥さんには，在日として生きてこられた経験を記述して書き残していただき，このブックレットに加えさせていただくことが出来ました。

　そして，この3冊目は，堀智晴が保育実践について研究してきたものをまとめました。そのタイトルを『子ども同志の響き合い讃歌─ちがうから，豊かになれる─』としました。

　子どもたちの一人ひとりが，自分を主張し，友だちを尊重し，他者とも連帯する。このエネルギーをもって，平和な世界を創り，民主主義社会を担う人として生きていってほしい。このことを願って〈讃歌〉としました。

　2024年3月
　　　　　　　　　　　　　　　　　　　　　　　　　　　堀　智晴
　　　　　　　　　　　　　　　（インクルーシブ（共生）教育研究所代表）

目　次

第1章　みんなよっといでよ！

第2章　インクルーシブ保育を創るには？
―その工夫と方法―

（本文イラスト：海谷泰水）

第1章　みんなよっといでよ！

はじめに

　この第1章は，10年前に『幼児と保育』（小学館）という雑誌に「みんなよっといで！」と題して連載したのを元に，少し書き変えて「みんなよっといでよ！」としました。

　今読み返してみて，事例をあげて分かりやすく書いているので，多くの人に読んでほしいと思い，ここに再録しました。特に子どもの保護者や保育実践に携わっている人に読んでいただきたいと思います。そして，ご批判，ご感想をお聞かせください。

おわりに

1　インクルーシブ保育のつくりかた

いろいろな境遇にいる子どもが，
一緒に生活することを通して，共に育ち合う「インクルーシブ保育」。
それは「みんなよっといでよ！」という保育者の気持ちから始まります。

子どもは謎の存在

　私は，この30年あまり，保育所におじゃまして，子どもたちの姿と保育実践を拝見してきました。保育者の皆さんと話し合うなかで，どのように子どもにかかわったらいいのかという悩みを聞かせてもらい，一緒に考えてきました。もちろん困ったことばかりではありません。保育者の何年にもおよぶ地道な取り組みが実を結び，子どもが育ってきているすがたを拝見することも少なくありません。

　そこでいつも思うのは，実践の現場に来てよかったということです。必ずひとつは発見があるからです。たとえば最近の体験としては，「子どもは謎の存在だ」と気づかされたことです。「この子は乱暴な子だ」と子どもをひと言で表現することはできないと気づかされたのです。この子はこんな子だと表現してみたとたん，確かにそういう一面もある，しかし，そうでない面もいっぱいあるということにすぐ気づきます。ですから，「子どもは謎の存在」というしかないと考えるようになりました。これはほんの一例ですが。

「みんなよっといでよ！」の保育

　今，私は「みんなよっといでよ！」の保育について考えています。注目されている言葉でいえば，「インクルーシブ保育」ということになります。「インクルーシブ保育」とは，どんな子どもも一緒に育ち合おうよ，という保育です。障がいのある子もない子も，外国の子も日本の子も，女の子も男の子も，あるいは，家庭的にめぐまれた子もしんどい状態で生きている子も，エネルギーがはちきれそうな子も静かなおしとやかな子も，あわてん坊もゆったりとしてい

る子も，すぐに友達になれる子もよくトラブルを起こす子も，頭でいろんなことを知っている子もいろんな体験をしている子も，言葉の達者な子も体でうまく自分を表現する子も，いろんな子どもが一緒に生活することを通して，共に育ち合うことを大切にする保育です。

　インクルーシブ保育は，だから「みんなよっといでよ！」の保育です。どんな子もよっといで，と手を横に大きく広げて，受けてたつ保育です。

ややこしいことが起きるけど

　いろんな子がいるから，次々といろんな問題が起きてきます。保育はスムーズにいきません。ややこしくなりこんがらがってきます。

　それでいいのです。こんがらがりながら共に生きていく中で，子どもたちは，自分というものに気づき自分を形成していきます。つまり，個として育っていきます。そのように育っていく個と個との間に，おもしろい関係が生まれてきます。そして，この関係の中でさらに個が育っていくのです。

　保育者はこのような一人ひとりの異なる個を大切に受けとめ，さらに子ども

同士の育ち合いをそばで見守っていくことになります。保育者はじっくりと時間をかけて個の育ちを見守り，さらに個と個との関係の変容を読み取り見守っていくのです。

A ちゃんには A ちゃんなりのワケがある

　A ちゃんは，3歳になって入所してきた男の子です。エネルギーがいっぱいで，なかなかじっとしておれません。体ごと友達とぶつかってしまい，友達を泣かせてしまうこともよくあります。好奇心旺盛なのです。

　新学期で落ちつかないクラスの中で，A ちゃんはじっとしているのが苦手です。A ちゃんをよく見ていると，まわりの様子をほとんど気にしていないように見えます。ですから，そこにあったブロックも自分のものにして遊んでしまいます。しかし，そのブロックは A ちゃんの横で遊んでいた B ちゃんのものだったのです。B ちゃんはとりかえしにいきましたが，A ちゃんに，つきとばされてはげしく泣いてしまいました。

　しかしよく見ていると，A ちゃんは自分のほしいオモチャでも勝手にとってはいけないのだ，と少しずつですが，わかってきたのです。オモチャをとろうとしても，取り返されたりはげしく抵抗されたりするからです。自分の思うようにはいかないことに気づいてきたのです。そして，自分が手に入れたいオモチャで遊んでいるその友達の顔を見るようになってきたのです。まだまだトラブルはなくなりませんが，このようにして，子ども同士の新しい関係が生まれてきました。おもしろいですね。

保育がむずかしい時代に

　今はせっかちなあわただしい時代になってきました。楽しいこと悔しいこと，おもしろいことつまらないこと，いろんなことを経験しながら少しずつ育っていけばいい，と私は思うのですが，じっくりとゆっくりと子どもがその子なりに変容していくのを見守るのがむずかしくなっているようです。保育者も自分で自分を追い込んでいるように見えます。

　こんな時代だからこそ，「みんなよっといでよ！」の保育は大事なのだと私は考えるようになりました。「みんなよっといでよ！」といいながら，これか

ら具体的な事例を紹介していきます。

　一緒に考えて下さい。

2　みんなよっといでよ！

ニュースで避難生活（東日本大震災でのこと）をしている子どもたちを見ていると気がつきます。

失意の中でも，子どもたちの目は，輝きを宿しています。とても感動的です。

そして子どもの目は子どもの姿を追います。それはお互いにさそいあっているようです。「みんなよっといでよ！」と。

生きてさえいたら

　「みんなよっといでよ！」と呼びかけても，もうその子はかけ寄ってきてくれません。その子の名前は「亡くなられた方々」の中にありました。年齢は（3）と書かれていました。

　さぞご両親は悲しくてつらいことだったでしょう。呼びかけたくても，もうその子はいない。本当に無念ですが，黙して祈るだけです。

　東日本大震災はいったい何人の子どもたちの命を奪ったのでしょうか。学校に通う約400人の児童・生徒が犠牲になり，さらに約500人の行方がわかっていないといわれています。幼い子どもたちの命も多数奪われてしまいました。

　幼い子どもの亡骸（なきがら）を見ることほどつらいことはありません。この子にどんな人生が待っていたのか，それは必ずしも幸せな人生とはいえないかもしれません。これからの時代を生き抜くには多くの試練が待ちうけているでしょう。しかし，それでも生きてさえいたら，生きてくれてさえいたら，と思わずにはおれません。生きてさえいたら私たちを励まし一緒に未来を切り拓いていってくれる，このような期待ができる力を子どもはもっているからです。

　亡くなった子どもたちに心から哀悼の意を表したいと思います。

小さな巨人

　灰谷健次郎は『子どもという巨人』(労働旬報社，1991年) という本の中で，幼い子どもは不幸にめげず，懸命に生きている，と書いています。私もそう思います。この懸命に生きる子どもの姿を見ると大人はしっかりしないと，と励まされるのではないでしょうか。

　たしかに，子どもは大人に保護されて生きています。しかし，「子どもは時には，実にたくましい生活者としての側面を見せることがあります。生活体験は浅いのに，百選錬磨の士のような強靱さを見せて，わたしたちを驚かせることがある。子どもはそういう可能性を持っているのです。」子どもは未熟なヒナドリとして扱われている場合が多いのですが，じつは「大きな可能性を持った素晴らしい人間の原型」ではないのか，と子どもと接してきた体験をもとに灰谷さんは書いています。

　子どもと接していると，子どもはまわりのようすを敏感に感じ取って，それに影響をうけているのですが，それでもどこかそのきびしい現実に屈することなく，生き抜こうとする意志を小さな身体から感じ取れますね。

子どもの目の輝き

　きびしい避難生活を余儀なくされている人々の様子が生々しく報じられています。失意のなかにも希望を持って生きていこうとされている姿に涙しながらも感動します。そして，その中に登場する子どもたちの姿は私を一層励ましてくれます。子どもはやはり，可能性を持った素晴らしい人間の原型と思ってしまいます。

　幼い子どもたちの目の輝きは，希望です。この目の輝きの中に未来を託す希望が宿っていると私たち親や大人は感じとっていいと思います。

　子どもは自分の目で，きびしい現実を生きる大人の私たちをしっかりと見ています。どのような気持ちで大人が生きているのかを察知していると思います。では，子どもはどのようにこの現実と大人の気持ち感じ取っているのでしょうか。それは，私たちが子どもにどのような期待をこめているかによって大きく変わってくるのではないでしょうか。

　だから，子どもの目の輝きを見て，その可能体としての子どもに期待して，

私たちは子どもに笑顔で接したい，私は現実がきびしければ一層そうありたいと心底思います。

こんなときこそ，みんなよっていでよ！

　被災地の生活が報道されていますが，それを見て私は発見しました。

　それは，子どもは同じ場にいる他の子どもの方をよく見ているということです。小さな子どもは，その場にいる小さな子に，また，大人よりもお兄ちゃんやお姉ちゃんの方に関心が向くのです。子どもの視線は子ども同士でやりとりが行われています。他の子の笑顔を見て顔がほころび，他の子の泣き声を聞いて表情もこわばります。

　同じ場にいる他の子どものたちの楽しそうな声が聞こえると，その場にいる子どもは安心し楽しくなるのです。

　このようなことに気がつくと，小さな子どもたちは，みんなよっといでよ！みんな助け合って生きていこうよ，このようにさそっているとさえ，いえるのではないかと思います。

　大人はきびしい現実にくじけそうなります。しかし，こんなときでも，子どもたちは，楽天的に笑顔を以心伝心で交歓し合っています。すごいことですね。小さな巨人たちといいたいですね。

　3　「みんな」ってだれのこと？

　園を訪れる機会があると，

　子どもといっしょに遊びます。

　いすにすわって，おやつも食べます。

　メモ帳に，

　子どもの名前を書きます。

　気づいたことも書きます。

　だからたまに，

　「おっちゃん，警察やろ」と，

　子どもにいわれます。

ちがうから豊かに育ち合える

　「みんなよっといでよ！」の保育は，どんな子もみんなで育ち合おうね，いっしょに生きていこうね，という保育です。文字通り「みんな」です。一部の子どもを拒んだり追い出したりはしません。だから，保育生活はややこしいこともおもしろいことも，いろいろあります。それでもなんとかみんなで仲よくいっしょに生きていきたいね，という考え方にもとづいています。全員参加なのです。

　しかし，「みんな」は「みんな同じ」ではありません。また，みんな同じように考えて同じように活動する必要もありません。同じようにはできませんね。「みんな」の構成員の一人ひとりが，それぞれ実にユニークな存在なのですから。「みんなよっといでよ！」の保育をするとき，この点を忘れないようにしたいですね。

　一人ひとり顔が異なるように，感じていることも考えていることも一人ひとり異なります。だからこそ，豊かに育ち合えるのではないでしょうか。

　「みんないらっしゃーい！」とみんなを受け入れ，お互いに求め合うのですが，だからといって，＜みんなをひとかたまりに見ない＞，このことが重要です。ひとかたまりで同じように動いているように見えても，よく見ると一人ひとり個性的なその子なりの動きをしているのがわかります。

　みんなよっといでよ！の保育は，みんなを構成する一人ひとりのちがいを尊重する保育です。

そうくん，ここちゃん……

　子どもの一人ひとりにその子の親は願いをこめた名前をつけています。この名前をいつも呼び合って，こども園，保育所や幼稚園でみんなで協力し合い，いっしょに遊びます。そこで生きている一人ひとりは，名前を持つ世界に一人しかいない独自な存在です。自分の生を生きているのであり，自分には自分の感じていること，思っていること，考えていることが＜この子＞のなかに明確にあるのです。個人がみんなに合わせる必要はないのです。みんなが，つまり一人ひとりが，他者を個人として尊重することこそ最も重要なルールなのです。

　4歳児クラスを参観しました。このきりん組には16名の子どもがいます。

　ふうちゃん，こうくん，そうくん，かずくん，りゅうくん，あっくん，ひろくん，しゅうくん，けいくん，ここちゃん，ひーくん，まなちゃん，みゆきちゃん，あこちゃん，ひよりちゃん，るなちゃんです。このように名前を連ねて書いてみると，一人ひとりこの子はどんな子かな，と興味津々，もっと一人ひとりをよく知りたくなります。

　そうくんは，「飛行船！」といって，宇宙戦艦大和のような細長い箱を私に向けて空中を飛ばしてきました。私の近くに来たとたん，そうくんは，「ババ
バッ，バババーン！！」と弾をうってきました。そこで私はもう逃げるしかないのですが，そうくんは追いかけてきませんでした。なぜ？

　また，保育士さんもいっしょに，そうくんが他の友だちとＳ字じゃんけんをしています。そうくんは，勝ちたい一心で，Ｓ字の線の上を走らず，まっすぐ相手の方に走ってしまいます。だから，線の上を走るようにひろくんに注意されます。ひろくんはそうくんをどう思っているのでしょうか？

　ここちゃんとけいくんが，縁側の下でなにやら探しています。「なにを探しているの？」と聞くと，「ダンゴムシ，もうつかまえたよ」と，ここちゃんは，石の下にいた３匹のダンゴムシを見せてくれました。私は「ここちゃん，このダンゴムシのお名前は何というの？」と聞きます。すぐ「みっちゃん，さっちゃん，ごんちゃん」と答えてくれました。「へーっ，みっちゃん，さっちゃん，ごんちゃんという名前なの」というと，「そうだよ」とここちゃんはうれしそうに返事をします。

　しゅうくんは，ロッカーの上の箱に入った幼虫を指さして，「カブトムシだよ」という返事です。

　グループごとに机のまわりにいすが並べられています。私が勝手にそのひとつにすわると，ここちゃんは，「これはふうちゃんの」といって，別のいすを持ってきて横に置いてくれます。ふつうは，「ダメッ」と追い払われるのが関の山ですが，こんなことはめずらしい，と私はうれしくなってここちゃんの顔を見つめます。ここちゃんも笑顔で応えてくれます。

　私も給食をいっしょにいただきます。私が，「あっ，はしがないよ。ここちゃんのかしてね」というと，「えーっ，あっ，スプーンあるよ」とスプーンをかしてくれます。ここちゃんは，代わりのものを用意してくれる思いやりのあるお子さんのようです。

子どもの名前を大切に

　この保育を参観して，午後から研究会を持ちました。参加者が感想を述べます。「みんな元気に遊んでいていいクラスです」。「みんな」では話しが深まりません。私は，クラスの名簿をもらっていたので上記のような報告をして，そうくん，ここちゃん，についての私の見方を述べました。子どもの一人ひとりの名前を大切にして，ことのときの保育の在り方について話し合うことが，「みんなよっといでよ！」の保育には必要です。

4　「よっといでよ，あっくん」

友達とかかわることがなく，自閉症と診断されたあっくん。

プール遊びは好きだけど，みんなと同じことをしないあっくん。

部屋のすみでひとり，同じ遊びを続けるあっくん。

しかし，あっくんをよく見ていると，少しずつあっくんのことが分かってきます。

その子なりの「生きる論理」が見えてくるのです。

ふり向いてくれないあっくん

　7月5日，蒸し暑い一日，3歳クラスを参観しました。午前中のプール遊び，給食もいっしょにいただきました。このクラスのあっくんは，自閉症と診断されています。

　この日，私は5回ぐらい，「あっくん，あっくん」と呼びかけてみました。しかし，あっくんは，一度も私の方をふり向いてくれませんでした。次回を楽しみにしましょう。

　しかし，いろいろ気づいたことがあります。

プール遊びは大好きだよ

　3歳クラスの子どもたちがプールで遊んでいる様子をビデオに撮りました。あっくんはプール遊びが大好きです。シャワーがすんでいないのに，プールに入りたくて仕方がありません。早くプールに入りたいのですが，頑丈な保育士さんにしっかりと手をつながれていてはそれもかないません。シャワーも体を洗うのもいやがらずにすませて，さあ，プール遊びのはじまりです。

　みんなは手をつないで輪になり，プールを回ります。ワニさんになって進みます。前に飛び込み，もぐってみます。子どもたちの元気な声があふれています。

　あっくんはみんなのようにはしません。あっくんにはあっくんのやり方があります。水の中を歩いて，ときどき中腰になって前進するかと思うと，顔から水中にもぐります。プール遊びというよりは，全身で水遊びを楽しんでいるようです。しかし，表情は楽しそうでもありません。声も出しません。水の感触や水独特の抵抗を楽しんでいるのでしょうか。

友だちを見ないあっくん

　私は，あれっ，と気づきました。あっくんはいっぱいいるクラスの友達をほとんど見ていないのです。まわりの子どもたちとぶつかったりしないのですから，子どもたちをまったく見ていないとはいえないのですが，友達の顔を見ることがありません。

　あっくんはプールからあがって両足から飛び落ちるのですが，そのとき，プールの中にいる担当の保育士さんに手を持ってほしいと手を前に出してさそいます。これがプールでのあっくんから他者への唯一の働きかけでした。

ともちゃんの顔をちらっと見た

　クラスに戻り自由遊びの時間になりました。子どもたちは自分の好きな遊びをはじめました。あっくんは窓際の小さなピアノの上にかけてあった布をめくりました。ピアノをたたくというのでもありません。でもあっくんの自発的な行動のように見えました。

　しばらくして部屋のすみにあった腰の高さくらいのテーブルの上に，両手の

ひらを下向きにして,「廊下をぞうきんで拭くかのように」前方にズーッとすべらせました。これをくりかえしました。私も同じことしてみました。両手のひらの感触がおもしろい感じでした。

　あっくっんが両手のひらを前に滑らせてくるので，テーブルの反対側から，私も同じことをしてぶつるようにしてみました。それでも私の手や私には関心をむけてくれませんでした。

　そこで，あっくんが手のひらをズーッと前にすべらせてきたとき，横にいたともちゃん（女の子）にあっくんの両手を上からパッと押さえてみて，と頼んでみました。ともちゃんがそうしたときです。あっくんは，一瞬ですがチラッとともちゃんの顔を見たのです。はじめて友達の顔を自分から見たのです。これは貴重な一つの発見でした。

「よっといでよ，あっくん」

　私は，以上のことを保育者に伝えました。そして，あっくんとクラスの子どもたちがかかわる機会を工夫してほしい，あっくんがいやがらなければ，保育士さんが仲介役になって，まわりの子どもとのかかわり合い，とくに体の触れ合いが生まれるといいですね，とお願いしました。

　今のところ，あっくんの方からまわりの子への働きかけは発見できていないのですが，よく見るといろいろあるのかもしれません。

　当分の間，まわりの子どもたちからのあっくんへの働きかけに期待しましょう。「よっといでよ，あっくん！」の保育のはじまりはじまりです。

5　「こっちの空気は，あーまいぞ」

給食の調理の匂い
子どもたちの汗の匂い
使い古されたおもちゃの匂い。
いろいろな匂いがあるように
クラスや保育室には独自の
「空気」というものがあります。

そして空気にも
いろいろな種類があります。
そこにどんな空気がただよっているのか
とても興味深いです。

深呼吸をしてみると

保育所や学校によくおじゃまします。実践を拝見すると，そこでしか体験できないことを体験できます。保育所に着くと，まず，私は深呼吸をします。保育所の空気，クラスの空気を吸い込むのです。

どの保育所にもその保育所の空気がただよっています。どのクラスにもそのクラスの空気がつまっています。この空気を感じ取ることから私の見学は始まります。この保育所はどんな保育所なんだろう，と深呼吸をしてみるのです。

空気にもいろいろな種類があります。落ち着いた空気，明るい空気，楽しくなる空気，ウキウキする空気，反対に，緊張している空気，重苦しい空気，とげとげしている空気，かたい空気，そしてうすい空気，濃い空気，黄色い空気，ピンクの空気，緑の空気などです。

空気をかもし出すもの

　このような空気は何によってかもし出されるのでしょうか。それはいろいろです。保育者の態度が大きく影響します。ことばはやさしいのですが，子どもを見る目がきつくにらんでいるときはピリピリした空気が張りつめています。もちろん，子どもたちも空気をかもし出しています。活気のある子どもたちがかもし出す空気もあれば，一部の子どもたちがクラスを支配しているときのどこかぎこちない空気もあります。けんかが起きたとき，仲直りができたとき，子どもたちの動きに応じて空気も変わります。部屋の中の配置によっても空気は変わります。

みーくんのこと

　みーくんは4歳の男の子です。クラスの女の子を理由もなくたたくので困っているという相談がありました。朝，私は子どもたちが来る前から部屋で待っていると，みーくんもやってきました。みーくんが部屋に入ると，空気が一変しました。まわりの子どもたちがみーくんを見る目が三角に変わったのです。

　しばらくするとみーくんが女の子をたたいてしまいました。私はみーくんの気持ちになってみるとたたく気持ちがわかりました。みんながみーくんをやっかい者あつかいする空気が充満していたのです。

　数日前，やさしいと思われている女の子と，みーくんとの間でトラブルが起きて，みーくんがたたき，それを見たクラスの子どもたちはみーくんを悪い子とみなすようになったようです。

　私はみーくんとままごと遊びを始めました。みーくんははずかしがりやで，しかもいたずらっ子でした。私たちはいたずらし合っていっしょに笑いころげました。近くにいた子を誘いいっしょに遊びました。みーくんの笑顔は素晴らしいものでした。みーくんの笑顔がクラスの空気を変えました。友だちとの遊びも続きました。

　「クラスの空気って大切ですね」と担任はいいました。みーくんにとっては，クラスに入るのが針のむしろにすわるような感じだったのではないでしょうか。「どうしてなにもしない女の子をみーくんはたたくのか。ひどいみーくん！」このような空気がクラスの中にできてしまっていたのです。

「みんなよっといでよ！」の空気

みんなよっといでよ！の空気とは，どんな空気なのでしょうか。それは「こっちのみーずはあーまいぞ」という空気なのではないでしょうか。しかし，意外と甘くないのかもしれません。みんなの集まる場所，それはおもしろいところですが，同時にややこしいところだからです。つまり，いろいろな問題が発生する場なのではないでしょうか。

私はこういう場の中でこそ，子どもの一人ひとりが育つのだと思います。子どもたちがここでおきる問題を解決する力を保育者は育ててほしいと思います。そこで，保育者には，「世界に一人しかいない＜この子＞理解」と「＜この子＞の育ちへの願い」と「具体的な手だて」が必要になりますね。

ただ平穏に仲良く，というのはうそくさい。みんなよっといでよ！，と誘われて集まった子どもたちは，自己を表現し，友だちとぶつかり合い，そこで起きてきた問題を解決するにはどうするか，保育者の助けをうけながら，悩み考えるのです。みんなよっといでよ！の場は，小さな社会なのです。

6　地域に生きる　長いつきあい

障がいがあることは特別だから
特別にしなくてはいけない，
しかしそうした善意は
ときには障がい者の負担になっているかもしれません。
普通学級の子どもたちと育ちあい，あたりまえに地域のなかで生きている
Kさんの話です。

37年のつきあい

Kさんは今39歳の男性，自閉症と診断されています。Kさんが2歳のとき，お母さんと私の大学を訪ねて来ました。育てにくいので困っているということでした。3歳から2年間障がい児通園施設に通い，1年間幼稚園に通い，6年間を地域の小学校に通いました。その後，養護学校の中等部，高等部に通い，卒業後は大阪泉南のタオル工場で18年間働きました。3年前にそのタオル工

場が倒産したので，今は近くの障がい者作業所に通っています。タオル工場では働かせていただけるだけでもありがたいということで，弁当は出ましたが給与はありませんでした。

　小学生のとき，私のキャンプに弟と参加しました。天橋立での海水浴では，Kさんは自己流の泳ぎを楽しみ，背の届かない深みでも，こちらの心配をよそに，沈んだかと思うとうまく海の底を足で蹴って浮かび上がり，斜めに身を浮かしてフワフワしていました。そのときのKさんの笑顔が忘れられません。もう私とKさんとその家族とのつきあいは37年にもなるのです。

健常児との学校生活

　小学生の5，6年生の時，担任の先生の取り組みによって，普通学級で過ごすことが多くなりました。教室の中でみんなに励まされて自転車に乗ったり，みんなと一緒に遊んだり学んだりすることが多かったようです。

　お母さんは，これからは健常児とのふれあいはなくなるだろうと考えて，この先生に頼んで，クラスの子どもたちに「Kの思い出」を書いてもらいました。これは今でもKさんとお母さんの宝物です。

同窓会への参加

　この時のクラスの友達は，同窓会をするときには必ずKさんも誘ってくれています。Kさんは友達といっしょに成人式にも参加しました。みんなのなかで，ネクタイをしめたKさんの笑顔の写真が印象的でした。中学校と高校は別々になりましたが，地域のスーパーなどで出会うと今でも「Kちゃん，元気？」と声をかけられるそうです。このときが一番うれしいとお母さんは私に何回いわれたことか。障がいのある人が，地域の中であたりまえに生きていくことがまだむずかしい時代だからです。

地域であたり前に生きていきたい

　先日ある研究会に参加しました。参加者のひとりが，こう発言されました。その人は脳性マヒという障がいがあります。「障がいのない人が，行きたい学校に行き，仕事をし，給料をもらい，幸せな家庭を築いている。その一方で，

障がいのある人は，まだ，山奥の施設の中で，一生毎日を介護職員にさげすまれて生きている現実がある。これを許していいのか」というものでした。

　また，このようにも語られました。「最近では，障がい者施策も変わってきて，バリアフリー法がつくられるなど，少しずつ障がい者に対する理解も進んできています。しかし，かたちだけの理解であり，善意には反発もできず，かえって本当の自分をいつわりながら暮らすようになっているのではないか」と。

インクルーシブ保育

　日本の福祉は今もなおおくれています。障がいのある人の福祉はいっそうおくれています。このような中で，2006 年に，「障害者権利条約」が国連総会で採択されました。日本政府も賛成したので，日本は「この条約を守ります」と 2014 年に「批准」しました。この批准の前に今までの法律を変える必要がありました。そこで内閣府の中にある「障がい者制度改革推進会議」で議論が重ねられました。2011 年 8 月には，障害者基本法も改正されました。その第 16 条では，教育について，障がいのある子とない子が共に教育を受けられるようにすること（インクルーシブ教育）と書かれました。

　「みんなよっといでよ！」の保育は，この条約に謳われている理念をめざす保育です。

7　ゆっくりとゆったりと

あわただしい，忙しい現代
「早く，早く」が，口ぐせになっていませんか。
大人の都合で子どもを追い立てていませんか。
ゆったり，ゆっくりと生活してみましょう。
そうすると，
一人ひとりの子どもが見えてきます。

「早くしなさい」

　教育をテーマにしたドキュメンタリー番組に次のようなシーンがありました。

　それは，神戸に住む家族の話です。お母さんが語っていました。「毎日，はやくしなさい，早くしなさい，とばかり言っているんですね，自分が……」。このお母さんは，働くお父さんを日本に残して，ゆっくり過ごせるドイツに子ども3人を連れて引っ越しをしました。

　子どもたちはドイツの小学校に通い，読み書き算数の基礎をゆっくりと学び，小，中学校，高校と進むなかで，自分の意見を持ち，友達と議論するのを楽しんでいる場面が映し出されていました。

　高校生の娘さんはこう語っていました。「日本ではどんなレベルの高校で学んでいるかが問題になるけど，ドイツではそんなことはありません。一人ひとり自分の意見を持つことが大切にされ，その意見の違いを尊重しあうので楽しいです」と。

時のたつのが早い

　「もう2月，ついさっき正月を迎えたと思っていたのに」「もう11月，今年もあとひと月か」

　このような会話を交わしているのが，今の私の生活です。

　私は，小学生のころは一年は長いと感じていました。だから「はやくこいこいお正月」と正月を待ちこがれいたのを覚えています。また正月がめぐってくると，友達とこままわしやたこあげをするのを楽しみにしていました。いったいいつの頃からか私は1年がこんなに早く過ぎ去ると感じるようになったのでしょうか。50歳を超えた頃でしょうか。

　今はデジタル時代，学校でも小型のデジタル時計を黒板に貼りつけ，「この問題は5分。はいスタート……あと10秒。3，2，1，はいやめて」というのが普通の光景です。ゆっくりしておれないのです。このようななかでは自分の考えを培うのは至難の業です。

ゆっくり，ゆったりとした生活を

　今の保育園や幼稚園の子どもたちは時間をどのように感じているのでしょうか。子どもは1日の生活を自分で計画するわけにはいきません。朝起きて，朝ご飯を食べ，登園し，みんなと挨拶をして，自由遊び，集団遊び，昼食，午睡，

おやつ，自由遊び，降園，夕食，入浴，就寝という子どもの１日の生活の流れ
は，親と保育者によって決められています。わずかの自由遊びの時だけが，ど
のように時間を使ってどう遊ぶか，時間の主人公になれるのです。トイレの時
間も決められています。

　たしかに乳児クラスには，まだゆっくりした生活があります。しかし，3，4，
5歳クラスになると，結構忙しく，スケジュールをこなす保育になっている面
もあります。誰かに命じられたというわけでもないのに，次々とすることがあ
るのです。

　その時その時が，子どもにとって充実した満足のいく時間になるといいので
すが，そのためには，ゆっくりとゆったりとした生活が必要なのだと思います。

一人ひとりの子どもが見えてくる

　Ａくんはなかなかじっとしていません。みんなと一緒に行動するよりは目
につくものやおもちゃに手を出してちょっとだけ遊び，また，次のところに行っ
てしまいます。こま切れにたくさんのことをしているのですが，満足していな
いようで落ち着けないようです。

　Ｂ保育者は，Ａくんが好きな汽車を手にしたとき，一緒に遊ぶようにしてい
ます。Ｂさんはどこかゆっくりとした雰囲気のある保育をします。このＢさ
んと遊んでいるとＡくんは落ち着いているように見えます。動きが静かにな
るのです。

　０歳に入園したＡくんは今４歳です。今のＡくんの保育を考えることは，
保育園の生活のテンポを見直すいい機会になります。忙しい盛りだくさんの保
育のなかでＡくんも忙しくしているように見えるからです。

　最近では子どもたちが保育園で３年から６年も過ごすことが多くなりました。
ですから保育園で生活スタイルを身につけ，生活のリズムを身につけていくの
です。

　日課や行事をこま切れに次々と変化させるのではなく，メニューを少なくし
てそれを，ゆっくりゆったり展開させていきましょう。保育が忙しくなると，
子どもたちをひとかたまりとして動かしてしまいます。ゆっくりゆったりとし
ていると，一人ひとりの子どもが見えてきます。

　新学期が始まり，子どもたちは新しい園生活を始めました。ゆっくりペース
の子どもに合わせて保育をかえてみましょう。ゆったりとした保育になれば，
保育者も子どもたちもラクになるのではないでしょうか。そして，子どもたち
のめいめいが，新たな姿を見せてくれると思います。

8　子どもの育ちを感じるとは？

　子どもの成長を
　確実に見ているはずなのに
　つい全否定で表現してしまう。
　なぜでしょうか？
　実践を積み重ねてきている保育者は
　自分の子ども理解に
　もっと自信を持っても
　いいのではないでしょうか

「まったくできない」

　よく研修会に参加します。実践で困っていること，悩んでいることが語られ
ます。子どもが育ってほしいという願いがあるからこそ，保育者は悩んでいる
のです。そこで私はどんな問題をかかえていて日々悩んでいるのかを聞かせて
もらいます。
　保育者からの相談のなかに，たとえば「集団への参加が全然できない」「ま
わりの子への関心がまったくない」「意思疎通がまったくはかれない」という
ような，全否定による子どもの見方が語られるときがあります。まったく〜が
できない，と言いきり，どうしたらいいのかと質問されるのです。このような
全否定による子ども理解を聞くと私はカチンときます。まったく〜ない？　そ
んなことはないでしょうと思うからです。

子どもの笑顔

　ある研修会で，「困っていること」と同時に，「保育をしていてどんなときに，

子どもが育ったと思いますか」をあらかじめ書いてもらいました。

　A保育者は，困っていることとして「2歳児クラスを担当している。名前を呼んでも反応がなく，自分の思いのままに動きまわり，危険なことをする。1対1で保育しているが，意思の疎通をまったくはかれない。どうしたらいいのか」と書いていました。そして，子どもが育ったと思うこととしては，「ことの善悪をくり返し言い聞かせてきたら，少し危険なことがなくなってきたこと」「音に興味を持ち，笑顔が出たとき」と書いていました。

　これを読むと，どのように保育すればいいのかという質問へのヒントが，「子どもが育った」ことのなかに，書かれているのがわかります。これはおもしろいことです。

　最初はコミュニケーションがまったくとれないと思っていたようです。しかし，だからといってそのままにしておくわけにはいかない。ていねいな1対1のかかわりを積み重ね，繰り返し言い聞かせて保育してきた。そうすると子どもはわかってきたというのです。

　つまり，意思の疎通ははかれていたのです。

　また，A保育者はこの子の笑顔を子どもの育ちとして読み取っています。A保育者はいつからこの子の笑顔に気づいたのでしょうか。笑顔こそ意思疎通の原型です。この気づきはすばらしいことです。

　コミュニケーションがまったくとれないという悩みをもちながら，実践をしていくなかで発見した子どもの育ちは，自分の子ども理解が不十分であったことに気づかせてくれたと思われます。

自分の保育経験を大切に

　しかし，それでももう少し考える必要があります。先にも書いたように，A保育者は自分の全否定的な子ども理解が実は間違っていたと真に反省したのでしょうか。私はこの疑問を持ちました。なぜなら，このような子どもの育ちについて書いておきながら，研修会への質問として，A保育者は依然として，意思疎通はまったくはかれない，どのようなかかわり方をすればいいのか，困っていると質問しているからです。

　A保育者は，今なお困っている，どうしていいかわからないと悩んでいる

のでしょうか。あるいは，もっと違う方法があったのかもしれない，それを聞きたい，こう考えてA保育者は質問をしているのでしょうか。本当のところはわかりません。

　私は，もったいない，と思います。自分の実践を通して，「意思疎通がまったくできない」という思い込みがあったことに気づいたのは貴重な経験です。この経験をこれからの実践に活かしてほしいと思うからです。子ども理解が保育実践に大きな影響を与えること，また，自分がこれまで当然と考えていたことが実は実践を通して問い直されているのだ，ということに気づいてほしいのです。そして，「実践こそが保育者を保育者として育ててくれる」ということにも気づいてほしいと切に思います。

　この時の研修は，私にとっても貴重な経験でした。研修では，困っていること，悩んでいることだけを聞くのではなく，保育者が実際の保育のなかで「子どもの育ち」をどう感じ取っているか，この点を聞くことが重要だと教えられました。

9　新たに生きる

　ボール遊びが大好きなたっくん。
　でもまだ上手にボールを
　受けとめることができません。
　こうやるんだよ，と私が
　見本を見せます。
　ただただ楽しく遊ぶたっくん。
　その姿を見ていて，
　私はあることに気づきました。

10分のかかわり

　たっくんとお母さんに子育て支援センターで会いました。30分ほどお母さんの相談にのりました。たっくんは，私とお母さんが話しているのを見ながら，やわらかいバスケットボールを壁にぶつけ，はね返ってくるボールを受けとめ，

また壁にぶつけます。私はたっくんにボールを投げてほしいと，両手をさし出します。たっくんはボールを投げてくれます。ボールを受けとめた私はたっくんに投げ返します。こんなやりとりを 10 回ほどくり返します。たっくんはうれしいのでしょうか，ずっとケラケラと笑いっぱなしでした。そのときのたっくんの目をよく見ておけばよかった，と後で気づきました。

たっくんはときどきボールを取りそこねます。私はたっくんに，こうしたらつかめるよ，と両手でパッとボールをはさむようにして見せました。たっくんは，私のまねをしようとしましたが，それでもなかなかボールをうまく受けとめられませんでした。しかし，たっくんはお構いなしに本当に楽しそうでした。

正直な表現

時間がきたので，私はバイバイをしました。すると，たっくんが私のところまできて，急に前から私に抱きついてきたのです。からだ全体をあずけるようにして私のなかに飛び込んできたのです。私はびっくりしました。そして，感動しました。

たっくんとの遊びは 10 分足らずでしたが，たっくんは十分満足したようです。何しろボールを投げ合っているあいだ中，ときにはよろけそうになりながらボールを投げ返し，全身でボールの投げ合いっこをたのしんでいたのですから。

たっくんは自分のうれしさをそのまま正直に表現していたんだ，と私はたっくんが帰った後で気がつきました。

たっくんの遊び

たっくんは，ボールをうまく受け取れず落とすので，私は受け取り方をたっくんに分かるように見せました。たっくんは一応それを見てまねようとするのですが，うまくできませんでした。

しかし，たっくんにとってはうまく受け取れるようになりたいという気もなかったのではないでしょうか。たっくんは，はじめて会ったおじさんとボールの投げっこをただただ楽しんでいたのだと思います。ひょっとしたらうまくボールがつかめない，それでおじさんがこうしたら受け取れるよ，といろいろ

やって見せてくれるのを楽しんで遊んでいたのかもしれません。

子どもはすばらしい

　私は，障がいのある子どもとかかわってきていろんなことに気づかされました。その中で一番大切なこと，それは，障がいのあるなしにかかわらず，子どもは一瞬一瞬を新たに生き，自分の新たな生を切り拓いているのだということでした。子どもは私たち大人よりも前を切り拓いて生きているのだということでした。子どもの生きる世界は新世界なのです。

　ところが大人は，そのように生きていることに気づかず，こうすれば楽しいよ，こうすれば幸せになれるよとおせっかいをやくのです。そして，困ったことに，子どもの前に「大人の線路」を敷こうとするのです。

　とりわけ，障がいのある子どもに対しては，よってたかって大人は丈夫で安全な線路を敷いて待っているのです。その善意を私は理解しますが，考え直す必要があるのではないでしょうか。このような線路はもはや「未来へと続く線路」ではなく，これまでの常識の世界をなぞる線路だと思うのです。

　大胆にいえば，「一寸先は闇」だからこそ，自由なのだと思います。

　たっくんはお母さんと二人暮らしで，来年の４月には小学校に進みます。お母さんは不安です。特に友達関係が不安なようで，それがお母さんの相談の内容でした。

　しかし，私はたっくんと遊んでみて気づきました。今のたっくんの楽しみを尊重することから始めればいいのだと。

10　子ども関係図

　一方的な関係，対等な関係
　つい手が出る関係……
　子どもたち同士のかかわりは，
　まさに「社会の縮図」です。
　大人がそうであるように，
　子どもたちは子どもたちなりの論理で

人間関係を作っています。
保育とはそういう友達関係を
深く読み解くことから
始まるのかもしれません。

育ち合いを育てる保育を

　私は，現場での実践研究を通して，保育では子ども同士の「育ち合いを育てる」ことが大切だと考えるようになりました。障がいのある子のいる保育は，はじめは保育者からのかかわりを必要とするのですが，だんだん子ども同士の関係が見られるようになります。そして，共に生活している子どもたちの素晴らしさは，子どもの方が保育者よりも自然なかかわりをする場面が多くあるということでした。

　脳性マヒのあゆみちゃんは，2歳で保育所に入園しました。両足が交差して緊張も強く，歩くことができません。同じクラスの子どもたちは，どうしてあゆみちゃんは歩けないの，どうしてお話をしないの，と質問してきます。それでも同じクラスで過ごすうちに，だんだんとまわりの子もその子なりのかかわりをもつようになりました。

　はじめは，あゆみちゃんの移動介助は保育者がしていました。3歳クラスになると，その様子を見ていた，体の大きなさつきちゃんが，あゆみちゃんをうまく抱えて移動介助するようになりました。さつきちゃんは，保育者の介助の

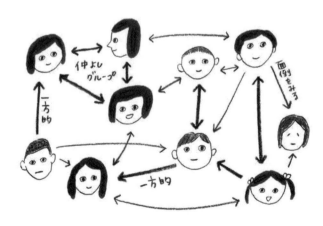

仕方を見ていたのです。さつきちゃんは，あゆみちゃんを抱えて一緒に遊ぶのです。

　さつきちゃんが風邪で休んだとき，今度はみほちゃんがあゆみちゃんの移動介助をするようになりました。1週間後さつきちゃんが風邪が治り登園すると，驚いたことに，さつきちゃんはみほちゃんに任せるようになったのです。それまであゆみちゃんのそばにいることが多かったさつきちゃんが，あゆみちゃんから少し距離をとって自分の友達と別の遊びをするようになったのです。それでも，みほちゃんがいないときは自然とさつきちゃんが移動介助をします。さつきちゃんはあゆみちゃんを特別扱いしていなかったのです。

子ども関係図を描いてみよう

　子ども同士の育ち合いを育てるために，保育者の皆さんと「子ども関係図」を描いてもらうことにしました。今では研究会に，子どもの成長した姿，気になる子どもの姿とともに子ども関係図も資料として出して話し合います。子どもの関係は次々と変化していきます。ですから，関係図といっても仮のものです。しかし，紙に子どもの関係を図にして描いてみると子ども同士の関係にあらためて気づかされます。

　まず，クラスの全員が登場する図を描いてみます。子ども同士の関係を矢印でつなぎます，次に特に友達関係を考えたい子どもについての関係図を描きます。多くの子どもたちにかかわる子，特定の子どもにしかかかわらない子，自分から他児にかかわっていかない子，ひとりでいることが多い子，いろんな子どもの姿に気づかされます。

　関係といっても，一方的な関係，対等な関係，つい手が出る関係，多くの子どもたちとのかかわりが見られる関係，特定の子どもとの関係しかない関係などいろいろです。まさに社会の縮図を見る思いです。

社会力を育てたい

　関係図を描いてみると，どの子がどのような対人関係をもちながら生きているのかが少し見えてきます。子どもの「社会力」が見えるのです。私は，自分を出さずにまわりに合わせて適応していく「社会力」ではなく，まわりの友だ

ちとの人間関係を切り拓いていく力，それを「社会力」といいますが（『子ど
もの社会力』門脇厚司著，岩波新書），それを子どもに身につけてほしいと考
えています。

　子ども関係図を見ていると，一人ひとりの子どもがどのように友達を見てい
るのか，友達関係の中で自分をどのように表現しようとしているのか，その一
端が見えてきます。

　また，今まで気づかなかった「さみしく生きている子」も見えてくることが
あります。保育を見直すためには，一人の子どもを深く理解することと同時に，
子ども同士の関係を深く読みとることも大切です。

11　かずくんの思い

友達や空を見ている
砂遊びをする
急に走り出す
どもまでも走って行ってしまう
一見，脈絡のない行動ですが，
かずくんにはかずくんの思いがあり，
それを実行しているだけです。
まわりの大人の人も
そんなかずくんを
うれしそうに見守っています。
さわやかな運動会のスケッチをどうぞ。

小さな幼稚園で

　全園児が35人の小さな幼稚園，秋晴れのもと，運動会に参加しました。

　かずくんは，3歳児クラス，10人の一員ですが，元気いっぱいで，ついみん
なとは別行動になって目立ってしまいます。しかし，かずくんを見ているとか
ずくんの思いが伝わってきます。

　園児席を離れて，どこに行くのかなと見ていると，幼稚園に初めて来たお父

さんのところに行きます。先生に連れ戻されると右手を振ってお父さんにバイバイをしています。席に戻ると，右のほうにすわっている4歳児の人数を数えています。また，開会式間際に走って登園してきた子の様子を見ています。

　園児入場では，先生に手を引かれて入場。子どもたちも小さなトラックに並んで賛美歌をうたいました。かずくんは口ずさんでいるようではなかったです。牧師さんが「お祈りをすると1日が違って感じられます」という話をされました。かずくんは聞いていたかな。聞かなくてもかずくんの1日はいつも新鮮でしょう。

　みんなでラーメン体操をします。子どもたちのラーメンをたべる仕草がおもしろい。かずくんは自分で踊らずそれを見ています。ヘリコプターが晴れ渡った空を飛んでいきます。かずくんはそれを見上げます。次は，その場にしゃがんで石を集めています。いい顔をして砂遊びをしています。これは私が小さな手帳にメモした記録です。

いつも自分の出番

　種目が始まりました。4歳クラスの子どもと親とのロープの取り合いっこです。どちらがたくさん取れたか数えます。3回勝負です。先生がトラックにロープを並べるのをかずくんもやりたくて手伝おうとします。それをしばらく見ていた担任の先生は，ゆっくりとかずくんを園児席に連れ戻しました。

　さあ，かずくんの登場です。かけっこしてダンボール箱の電車に乗ります。そこで待っていたお父さんが引っぱって走ってくれます。かずくんは後ろから追いかけてくる友達を見ています。ゴールインして人差し指を上にあげて1等賞のポーズをとりました。終わって席に着くかと思いきや，すぐお母さんのところに走っていきました。そしてお母さんに連れられて園児席に戻りました。

　かずくんが先生の帽子を取ります。先生がうれしそうな顔で取り返します。担任の先生はかずくんの横にしゃがんでついています。かずくんの背中に軽く手を添えてトラックでの演技を見ています。かずくんは，いすの前のトラックにすわって砂遊びを始めます。

思ったらすぐ実行

　年長組による「かりもの競走」が始まりました。ティッシュを借してください。いすを借してください。時計を借してください。傘を借してください。いすを借してください。応援している人たちも，いつの間にか次には何を借してほしいのかと，子どもが走ってくる前から待ち構えています。カードに何が書いてあるのか，のぞき込んで一緒に借りものを探します。かずくんも，走ってくる子どもを見て，いすを持ってトラックの中に走っていきます。いすを渡そうとするのですが，このグループにいすを借りたいという子はいませんでした。先生と一緒に席に戻りました。

ついやりすぎてしまう

　かずくんの出番のかけっこです。かずくんはゴールインしたのはいいのですが，テープの下をずっと通りぬけ，幼稚園の玄関の中まで入りこみました。「世代間きょうそう」という種目では，祖父母と親とが競歩でリレーをします。たくさんの参加者が，応援席からの歓声の中を競いました。私も参加したので，かずくんが自分のおばあちゃんとお母さんが競っているのをどのように応援していたのか見れませんでした。残念でした。このときばかりはさぞかしうれしそうにじっと見ていたのではないでしょうか。

　私は途中で仕事に出かけました。園庭から離れた静かな幼稚園の入り口のところで，かずくんは草を手づかみでちぎっていました。そのそばで先ほど走ったまだ若いおばあちゃんが笑顔で見守っていました。

　かずくんの姿からかずくんの思いの一端が伝わってきた楽しい2時間でした。

12　聖愛園のたくましい子どもたち

いろいろなこどもがいます。
このあたりまえのことが，
どれだけ子ども同士の成長を支えていることでしょうか。
大阪の子ども園聖愛園の子どもたちに
強い生命力を感じるのは，

きっと育ち合いの体験を
生きているからだと思います。

はずかしいですが

　この雑誌の前号（2013年2・3月号）で，この「みんなよっといで！」のインクルーシブ保育が特集されました。ふろくとして，私が保育の現場で子どもと出会っているようすがDVDになっています。

　大阪の私立の子ども園聖愛園の子どもたちの育ち合いのすがたがきれいな映像で記録されています。なにしろプロのカメラマンと監督による記録ですから「さすが」です。

　このDVDを見て，「おもしろかったよ」という感想がたくさん寄せられました。ありがとうございます。ご覧になりたい方には見てもらえます。私，堀智晴まで御連絡下さい。

たくましいまいこちゃん

　このDVDの中で，聖愛園の40年におよぶ「障がい」児共同保育の一端が映像と園長の野島千恵子さんの語りで紹介されています。

　野島さんは，子どもたちのもっているやさしさが，障がい児がいることで引き出される，縦割り保育は子どもたちのもっている文化の伝承でもある，と語っています。

　障がいのあるまいこちゃんもはるくんも，なかまの一員としてみんなの中でたくましく育っています。

　まいこちゃんは，自分の得意なこと，関心のあることはよく分かっていて（当然ですが），自信のある語り口が魅力的です。私の前で左ききで力強くぐいぐいと絵を描いてくれました。「これは何をかいているの？」ときくと，先日お母さんと出かけたときにみつけた草だと言います。

　私に「これおっちゃんの顔」と見せてくれたので，「ちょうだい」というと，「いややわ！」と言われてしまいました。しっかりしています。このたくましさはみんなの中で育ってきたからこそ培われてきたのではないでしょうか。

正直なゆうまくん

　聖愛園では年長児の子どもたちが，能勢の剣尾山（784ｍ）に登るというイベントがあります。子どもには思い出にのこる貴重な体験の機会です。登山を明日にひかえた前日には壮行会が行われます。そのシーンも映し出されています。

　DVD を何度も見ていると，いろんな子どもたちのすがたが映し出されていて感動的です。

　ゆうまくんに堀はインタビューしました。

　「ゆうまくん，あしたしんぱい？大丈夫？」ときいてみました。

　ゆうまくんはうん（大丈夫）とクビをたてにふりました。

　そのあと，ゆうまくんは，「でもちょっと心配」と言いました。

　なんて正直な子どもなんでしょう。私は感心しました。このインタビューの後，私はゆうまくんのすがたを追いかけて見まもることにしました。

　壮行会では，3，4歳児と対面して年長児たちは，「あすはがんばるぞ！」と，元気に大きな声で決意表明をしています。ゆうまくんは私には少し不安げに見えましたが，それでもみんなと一緒に声を出していました。

　この DVD を見て，私はゆうまくんをさがしました。剣尾山を登るゆうまく

んのすがたがDVDにも映し出されていました。赤い帽子のゆうまくんは,黙々と登っています。

　雨の中を登りきった子どもたちは頂上に立って「やったー！」と声をあげました。この中のまいこちゃんもはるくんも,そしてゆうまくんも満足げで誇らしげに見えました。

この子への期待

　私は,傲慢にも,この子はこんな子ではないかと,子ども理解について語ります。実はそんなに簡単には分かりません。子ども理解といっても,私の「仮の理解」にすぎません。

　子どもたちとじかに接していると,この子はこんな子ではないかと思うと一層この子への期待が大きくふくらんでくるのです。

　先行きが不透明な時代であるからこそ,仲間の中で自分らしく生きる子どもたちにエールをおくりたいと思います。

13　ひとりでいることも大事に

園という場は,子どもたちが
集団で育ち合う場です。
いろいろな子どもたちがいて
それぞれの個性を尊重しながら
ともにいることが大事だと思います。
しかし,そこには,
ひとりでいるのが好き,という個性もあります。
そういう子ども対して保育者は,
どのようにかかわったら
いいのでしょうか。

いらだつゆうくん

　4歳のゆうくんは身のまわりのことは保育者の声かけでできます。好奇心旺

盛な男の子です。しかし，自分のしていることを中断させられたり，自分の思うようにならなかったりすると，ついいらだってしまいます。

　保育者がいらだつゆうくんのそばで「どうしたの」と声をかけると「こないで」「もういい！」と怒り出します。まわりの友達が「どうしたん」と声をかけると，さらに怒り出します。

　いらだつゆうくんをよく見ていると自分から部屋のすみに行くことがわかってきました。そこで保育者はゆうくんをそっとしておいてあげよう，と見守ることにしました。ゆうくんはひとりになり，気持ちを切りかえ，落ち着くことができるようになってきました。

　自分のしたいことを納得のいくまでしていたい，いまはひとりでいたい，ゆうくんは，そんな子どもでした。この「ひとりでいたい」という思いを保育者や子どもたちが認めたことで，ゆうくんは，いらだつ気持ちを切りかえ，落ち着くことができるようになってきました。

「のんちゃんとすわりたい！」

　ゆうくんが落ち着いてきたので，少しずつ友達とも遊べるようになると保育者は期待していました。しかし，そううまくはいきません，友達が誘いにくると，「どうしてやるんだよ！」と泣いて怒り出し，押したりたたいたりします。

　保育者は，「ゆうくんと遊びたいんだよ」と友達の気持ちを代弁して伝えるのですが，ゆうくんは聞く耳を持たない感じでした。

　ゆうくんとまわりの子どもとの間をとりもちたいと保育者はいろんな工夫をするのですが，あるときはっと気がつきました。友達の名前をいわずに「あの子」「この子」と呼んでいることに気づいたのです。

　そこで，保育者は，「あきらくんとこれして遊ぼうよ」「かなちゃんが持ってきてくれたよ」と子どもの名前をはっきりとゆうくんに伝えるようにしたのです。それでもなかなかゆうくんと友達との関係は見られませんでした。保育者がゆうくんと遊んでほしいと願って呼んだ友達から目をそらし，その場から離れていってしまいます。

　ところがある日，ゆうくんが「のんちゃんとおすわりたい！」といってきたのです。自分の隣にすわる子はのんちゃんがいいというのです。

そのときのことを保育者は次のように書いています。

「くり返し名前を伝えていくことで友達の存在に気づいてほしいと思ってきました。のんちゃんの名をいったのが，ゆうくんと友達とのかかわりのはじまりでした。この取り組みをしてよかったと感動しました」

ひとりでいることも大事に

保育所や幼稚園は集団生活の場です。子どもたちはそこで友達を見つけ他者とのかかわり方の基礎を学びます。

保育者は子どもたちの一人ひとりに目を向け，一人ひとりを大事に育てようとするのですが，つい「みんなで」「いっしょに」活動することを優先しがちです。

最近では，少子化社会ということで，子どもたちは対人関係に問題があるとの指摘もあります。

このようななかで，ひとりで遊ぶ子ども，すぐ友達とトラブルを起こしていしまう子ども，集団生活になじめない子どもが目につき，気になります。

しかし，あせって集団生活に参加させることはないと思います。

どの子にもその子なりの育ち方があります。その子なりの思いもあります。自分の世界を大事にして，少しずつその世界を広げていこうとするタイプの子どもがいても不思議ではありません。

友達と仲よく楽しそうに遊んでいる子どもを見ると，一人でいる子どもや遊んでいる子どもが少し心配になるかもしれません。しかし，急ぐ必要はないと私は思います。

なぜひとりでいるのか，なぜ一人で遊んでいるのか，その子なりのワケがあるのでしょう。一人でいることも大事にしましょう。私もどちらかというと一人でいることが多かったと思います。

ひとりでいるワケがわかってくると，それは保育者が友達づくりやクラスづくりを考えるヒントになります。

14　子どもに責任はないのに

かつて子どもが群れて遊んでいた広場が消えました。

地域のきずなは薄まり，大人を見ると，子どもは警戒することを覚えました。

そして，いつしか子どもは，家の中でひとり遊びをすることが多くなりました。

ことばが遅れていたり，友だちつきあいが苦手であったり。

これを本人の性格の問題と片づけていいのでしょうか。

おとなしいあきらくん

　4歳のあきらくんはお母さんとやってきました。保育所入所を希望しています。3歳児検診で，言葉が遅れているといわれました。保育所でみんなといっしょに生活できるか心配なのです。

　あきらくんは，用意されたおもちゃのなかから木の汽車を選び，遊び始めました。線路を作りその上で汽車を走らせます。汽車をどんどんつないでいきます。一人で黙って集中して遊んでいます。

　臨床心理士のお姉さんが声をかけて一緒に遊ぼうとしました。ゆっくりでしたが，あきらくんはお姉さんとのやりとりができました。

友達がいない

　お母さんから話を聞きました。あきらくんは，4歳になる今まで同世代の子どもと遊んだことがほとんどないそうです。お母さんとおばあちゃんとの3人家族です。

　住んでいるアパートの近くに公園があります。お母さんは働くだけで精いっぱいで一緒に遊びに行く余裕はありません。おばあちゃんもあきらくんを連れて外出する自信がありません。こういう事情で，あきらくんは家の中で，おもちゃで遊んだりテレビを見たりして過ごしてきたのです。

療育をすすめられて

　あきらくんは言葉が遅れている，といわれたので小児科の診断を受けました。

小児科医は，はっきりと障がいがあるとはいえないが，発達障がいのある子ど
もたちの通う療育コースに通ってはどうかとすすめました。しかし，あきらく
んのお母さんはこのコースには通わせず，保育所入所を申請したのです。

　私の経験による判断では，あきらくんはおとなしくて積極的に話そうとしな
いので言葉の遅れがあると見なされたのではないかと思いました。

　おとなしいですね，と私がいうと，お母さんは「大人のなかで育ってきたの
で，自分からいわなくてもすみますから」と答えられました。

子どもの責任ではない

　今の子どもは，子ども時代に同世代の子どもたちのなかでもまれる体験をす
るのがむずかしいのです。対人関係の基礎を乳幼児期に友達との関係のなかで
身につけることが出来なくなっているのです。

　あきらくんが１日も早く保育所に入所できることを祈ります。

　それでは入所が実現したとき，どのような保育実践をすればいいのでしょう
か。保育士は，あきらくんがおとなしくて言葉がゆっくりであることを，あき
らくん自身の問題だとみなしていいのでしょうか。そうではないと私は考えま
す。今の時代，今の社会だからこそ問題なのだと思います。

　保育実践では，あきらくんへのていねいなかかわりが必要です。しかし，あ
きらくんの姿をどのように理解するかによって，保育の内容も異なってきます。
時代と社会の影響を考えた上で，その奥にある，あきらくんの可能性に働きか
けていくことが大事なのではないでしょうか。

　あきらくんは，子どもたちのなかで育っていくでしょう。そして，これまで
自分を呑み込んできた社会を，内から変えていく存在へと育っていってほしい
と願っています。

15　カブトムシのたまご

友達と自分は違う。
このことを子どもたち自身が気づいてくれるといい。
そうすると，お互いが影響し合って

育ち合いにつながります。

ふだん子どもと接している保育者にも，

このような願いをもってほしいと思います。

保育者にこのことを伝えたくて

私は保育所に通い

毎回快い疲労を楽しんでいます。

1日の所内研修

　10年間，A保育所に年1回の所内研修におじゃましています。朝7時半に自宅を出ると10時前には保育所に着きます。私に相談したい問題や子どもの姿については，予めプリントにして送ってもらっています。障がいのある子や「気になる子」をみんなのなかでどのように育てていけばいいのか，これが話し合いの主なテーマです。

　簡単な打ち合わせのあと，私はビデオを撮りながら子どもたちの生活を拝見します。お昼には子どもたちと一緒に給食をいただきます。食べながら子どもたちと話し合うのは実に楽しい時間です。子どもの一人ひとりの個性がよくわかります。

　午後1時から2時半までは休憩，最近では1時間ぐらい仮眠をとることもあります。寝起きが気持ちいいですね。2時半から4時半までまた観察です。そして，5時半から7時まで研究会があります。

　私が家に帰るのは夜の10時になりますが，快い疲れを感じます。保育者の方々のコツコツと実践を見直す取り組みには本当に頭が下がります。私の今日あるのは，このような1日の研修会のおかげです。

保育所の責任も重大

　8月の研修会でのことです。5歳クラスを参観しました。このクラスには，0歳から5歳までこの保育所に通ってきている子どももいます。保育所の責任は重大だという意見が出ました。保育所での日々の生活の積みかさねが今の子どもの姿につながっているのです。

　5歳クラスの子どもたちは，年が変わると小学校に進みます。子どもたちも

しっかりしてきています。一人ひとりが自分の考えをもっています。子どもたちのこの個性の違いを活かして子ども同士の育ち合いを育んでほしいと思うのが私の願いです。

カブトムシのたまごの卵焼き

　5歳クラスで飼われてるオスとちメスの2匹のカブトムシは子どもたちの人気者です。

「あきらくん，このカブトムシの名前は何ていうの？」と聞くと，「エーッ」というので「名前がないのは悲しいね」と私はいいました。あきらくんたちは，さっそく名前をつけました。

　げんくんがカブトムシの卵を見せてくれました。横幅1ミリ長さは3ミリくらいの白い卵です。私が「卵やきにして食べたらおいしいかな？」というと，のぞき込んでいた3人は「エーッ」とびっくりしたようです。

　あいさんは「たべたら幼虫になるよ」と，もの知り博士ぶりを発揮しました。

　ゆうくんは「たべたらあかん！」と私に強く抗議しました。

　げんくんは「たべたらへーこいてうんこになる」とおもしろがって体をころがらせました。

子ども同士の育ち合い

　あいさんは友達と遊ぶより本を読んでいることが多いようです。ゆうくんは正しいことを守りますが少しかたい感じです。げんくんは少し落ち着いてほしいと保育者は願っています。

　この3人3様のちがいに子どもたち自身が気づいてほしいと私は思います。気づけばすぐどうなるというわけではありませんが，少しずつ影響を受けるのではないでしょうか。

　また，友達の姿に気づいて自分の考えや行動を見直してほしい，こうした願いをもって保育者が子どものそばにいるだけで子どもの育ちも見られるのではないか，と研修会で子どもの観察の報告をしながら私は発言しました。

　このようなことを10年間保育者の皆さんと話し合ってきました。

16 一つひとつを積みかさねて

子どもにはどの子にもその子の思いと
生きる論理があります。
一見問題のあるような行動も
子どもの立場に立つと，その子の生き方が少し見えてきます。
大人はちょっとだけ
立ちどまればいいのです。

かーくんは困った子か

「子どもの投げた石が車に当たって，たいへん怒られました」と。お母さんは相談の時に話しました。お母さんは悩んで，少し疲れているようでした。この車の持ち主のおじさんは，駐車場でよく車をみがいていたそうです。かーくんが投げた石がその車に当たったのですから，おじさんがきつく怒るのもわかります。車をねらって石を投げたのか，たまたま投げた石が車に当たってしまったのか，本当のところはわかりません。

また，かーくんが友達をたたいたり，かんだり，つばをかけることもよくあるようです。男きょうだい3人の3番目のかーくんは，ことばは出ているのですが，まだうまく話せません。そこで自分の気持ちをこのような行動で表現するのだと思います。

楽しそうに遊ぶかーくん

私はお母さんの悩みを聞きながら，かーくんがおもちゃで遊んでいる様子を見ていました。かーくんは臨床心理士のおねえさんとじょうずにごっこ遊びをしています。そのときのかーくんに私は何も問題を感じませんでした。実に子どもらしい子どもです。

かーくんには自分のしたいことがはっきりあるので，ときどき，友達と遊んだり，ほかの人とやりとりをしたりするのがうまくいかなくて，ぶつかりあうのでしょう。いろいろトラブルが起きましたが，かーくんだけが悪いというのではないと思います。

どちらの姿もかーくん

　友達ともめているけわしい表情をしたかーくんも，おもちゃで遊ぶ機嫌のいいかーくんも，同じかーくんです。私はおねえさんと遊んでいるかーくんをながめながら，「子どもらしいなあ，かーくんは」とつぶやいてしまいました。

　しかし，お母さんが表情をやわらげることはありません。

　「お母さん，かーくんの気持ちになってみると，かーくんの気持ちもわかりますね」とむずかしいことをいってしまいました。かーくんがたたいたり，つばをかけたりするのにはそれなりの理由があるのです。ことばで自分の気持ちをうまく表現でしないのでそうしてしまうのです。

　「少しずつことばが増えて理解もできてきているので，かーくんも変わっていくでしょう。まだ少し時間がかかるようですが，それまでゆっくり育てていきましょう」とお母さんに伝えたのですが，そこでようやくお母さんの表情が少しほころびました。

かーくんのような子が多かった

　私の時代はかーくんのような子どもが多くいたと思います。仲間と遊ぶときにはトラブルが起きるのは当然でした。つい手が出てとっくみあいが始まるのですが，そのようなときにはまわりの子が仲立ちをして，友達どうしで解決していたのです。親も働くのに忙しくて，子どもにかまっているひまもありませんでした。

　かーくんの思いを少しでも伝えたくて，私は「かーくんにはかーくんの思いがあって生きているんですね。かーくんの思いを尊重しましょうね」と，くり返しお母さんの訴えてしまいました。

　かーくんの側に立つことをお母さんに求めていたのでしょうか。かーくんはいまのようなトラブルやうれしい体験を一つひとつ積み重ねて育っていくと思います。

17　「こどもこそミライ」という思想

話す言葉が違っても，男の子でも女の子でも，

家庭の環境がさまざまでも，

そして障がいがあってもなくても，

どの子も世界に一人しかいない人間です。

その子なりの思いと生きる論理で生きています。

一人ひとりが違うからこそ，

みんなで生きていく価値があります。

ぶつかり合い，育ち合い，よりよいものに作りかえてほしいです。

少し変わっているてっちゃん

　4歳のてっちゃんは，友達のいやがることをしてしまいます。集会では席を離れ，集中できずに話し始めます。持ちものの整理もむずかしいようです。みんなと同じようにしないのです。つい勝手なことをしてしまいます。

　保育者が困って私に相談にきました。てっちゃんの午前中の様子を拝見しました。てっちゃんは目立ちます。4人で列になりピアノに合わせて踊るのですが，てっちゃんはとなりの子の手を引っぱりふざけてしまいます。先生が子どもたちに説明するとき，前の子を押しのけ一番前に出ました。私がビデオを撮っているのを見て，「何を撮っているの」と聞いてきました。私は「みんなが遊んでいるのを撮っているよ」と答えると，「遊んでないわ！！」といいました。たしかに，てっちゃんはみんなとちがって少し変わっています。

おもしろいてっちゃん

　しかし，おもしろい男の子です。給食の準備で前かけをした保育士さんが，暑いので着ているのを1枚からだをひねりながら脱ぎました。そのしぐさを見ててっちゃんは「おばけみたい」と大声で笑いました。たしかに私にもそう見えました。

　配膳の前に保育士さんがテーブルを拭いています。テーブルの上にお茶の入ったコップが4つありました。てっちゃんはそれらをさっと片づけて拭けるようにしました。保育士さんが「ありがとう，てっちゃん！」というとてっちゃんは照れていました。

　てっちゃんはいろんなことに気がつき，それに対応しているのです。創造的に生きていますね，と私は保育者に感想を述べました。てっちゃんのよさに気づきてっちゃんを育てていきましょう，ということになりました。

「こどもこそミライ」の誕生

　この「みんなよってといでよ！」では，てっちゃんのように私が出会った子どものことを書き，インクルーシブ保育について考えてきました。「子ども」といっても，どの子も「世界に一人しかいない＜この子＞」なんだという私の信念も書いてきました。

　私のレポートを読んで編集者の宮川勉さんが，堀はいったいどのように子どもと出会っているのかと興味を持ったようです。そこで，私が保育所に行きメモをとっている様子を，プロの監督とカメラマンが撮って DVD にしました。この大阪のこども園聖愛園の実践はインクルーシブ保育の実践です。

　同じように横浜の「りんごの木」のミーティングと山梨の「森のようちえんピッコロ」の実践と三つ実践が DVD になりました。そして，これを編集して長編ドキュメンタリー映画『こどもこそミライ　―まだ見ぬ保育の世界―』が生まれました。私はこの作品を映画館で見ましたが，まさに「こどもこそミライ」と感じました。

　いま私たちはきびしい現実を生きています。しかし，＜この子＞たちと向きあうと，私は未来に期待がもて，元気が湧いてきます。これからこの映画は東京から関西，そして全国をめぐります。多くの人に見てほしいと思います。ご覧になりたい人は連絡をして下さい。

　長い間，このコラムを読んでいただきありがとうございました。そして出会った＜この子＞たち，ありがとう！

おわりに

　この「みんなよっといでよ！」は，私が出会ってきた子どもたちのことを中心に書いています。子どもと出会うときは，たのしいです，うれしいです，おもしろいです。

　自分自身の人を見る見方，人とかかわるかかわり方の原点に気づかせてくれます。

　子どもは不思議な力を持っています。私を新鮮にしてくれます。

　10 年前に保育雑誌に 3 年間連載したものを，少しだけ書き直して，今もう一度，子どもにかかわる人に読んでもらおうと，第 1 章にしました。

第2章　インクルーシブ保育を創るには？
―その工夫と方法―

はじめに

　ここでは，インクルーシブ保育（どんな子も，もちろん障がいのあるなしに関係なく，一緒に生活し育ち合う保育）を創るためにはどのような工夫と方法が必要か，この点について私が現場の実践から学んできたことをまとめて書きました。これは日ごろの保育実践を見直すためにも参考にしていただけると思います。

1　みんなとちがう変わった子？

　こども園での一コマ。その子は保育者の指示に従わず，みんなとちがうことをしています。参観している私も，なぜみんなと同じことをしないのかな，何をしたいのかな，何をしたくないのかな，一体どんな子なんだろう，と想像力をたくましくしていろいろと考えます。

　こういう場面はよくあります。このような子は，一般に，変わった子だな，困った子だとみられがちです。ところがインクルーシブ保育では，こんな子をこそ大切にします。そしてまわりの「みんな」が同じように動いている子どもたちの方こそおかしいのではないかと思います。よくよく考えると，みんなそれぞれ異なった「変わった子？」なのではないでしょうか。最後の？マークは，この子のことを完全に理解するのはできないので，どんな子なんだろうか？という疑問符です。

　本当はどの子もこの子のようにその子なりの特徴をもつユニークな子（世界に一人しかいない＜この子＞）なのに，保育や教育を受けることによってみんな同じような子に画一化され，あるモデルに同化させられていきます。このような保育は「反インクルーシブ保育」です。

2　インクルーシブ保育を創る

「創る」と書いたのは，新しく創るからです。インクルーシブ保育は，これまでの保育のように子どもをひとまとめにして保育するのではなく，子どもの一人ひとりの意思を尊重して育てる保育です。子どもは一人ひとりちがいます。このちがいを大事にして育てていきます。だから，インクルーシブ保育とは「多様性を尊重する保育」です。

思い切って言えば，＜この子＞の「勝手」を大事にする保育です。

しかし，だからといって子どもをバラバラに育てるわけではありません。また，急にこれまでの保育を大きく転換させる必要もありません。子どもたちの一人ひとりのちがいを活かす保育へと少しずつ変えていけばいいのです。

子どもたちは一人ひとりちがっているのでお互いに影響しあって育っていけばいいのです。いっしょに遊びながら育ちあい，困っているときは助けあいます。時にはトラブルをおこしながら自分たちで解決して育っていきます。インクルーシブ保育は，このように子どもどうしの「育ち合いを育てる保育」です。

これまでの保育は，保育者が子どもたちを一まとめにして動かし誘導していく一斉保育が中心になっています。このような保育からインクルーシブ保育への転換は新しい保育への転換です。だから，子どもの見方（子ども観），保育についての考え方（保育観）を新しく変えていく必要があります。しかし，急ぐ必要はありません。自分の子ども観，保育観を少しずつ見直していくようにしないと，あわててもなぜそうする必要があるのかという自分の問題として悩み，考え，気づき，自分なりのインクルーシブ保育が根づくことにつながっていかないからです。

3　インクルーシブ保育を創る4つの視点

私は長い間保育実践を拝見してきて，次のことを学びました。保育実践をふり返るとき，次の4つの視点はいつも必要な＜実践を見直す視点＞だということが分かってきました。そして，この4つの視点こそインクルーシブ保育を創り出していく方法でもあるのです。参考にしてほしいですね。

インクルーシブ保育を創り出す上での4つの視点は，次の通りです。

(1)　目の前の＜この子＞はどんな子かをよく理解し，一人ひとりのちがい
　　に気づく。

(2)　保育者は一人ひとりの子どもへの願いもち，＜この子＞に即した願い
　　と期待をもつ。

(3)　＜この子＞への5つの手だてを連動させて保育する。

(4)　環境整備も必要です。一人ひとりの＜この子＞が育ち，＜この子＞た
　　ちが育ち合えるような保育環境の整備を行う。

　この4つの視点は，次の図のように連動しています。矢印は双方向です。理
解をして願いをもちます。願いをもち手だてをします。手だてをしてみてこれ
までの理解でよかったかと見直します。また，手だてをしてみて願いがそれで
よかったのか見直します。このような願いでよかったのかと理解についても見
直すことになります。それぞれが相互に関係し合っているからです。

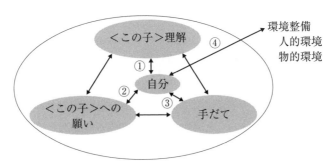

図1　実践を創る4つの視点

(1)　＜この子＞理解について

　「この子」とは，保育者が目の前の＜この子＞をどう理解しているか，とい
うことです。保育実践では保育者がはたらきかける子どもをどう理解している
かによって，保育実践（手だて）も大きく変わってきます。また子ども理解に
基づいて子どもにどのような願いを託すのかも異なってきます。ですから，こ
の子ども理解は重要です。

　子どもは一人ひとり全くちがった人間です。私は，障害のある子の保育を中

心に考えてきました。そして，どの子も目の前にいる子は「世界に一人しかいない＜この子＞」だと考えるようになりました。ですから，子ども理解は，実は＜この子＞理解ということになります。

　どんな子にもその子なりの感じ方，考え方，生き方があるということがだんだん分かってきました。これは当然なことなのですが，保育者や教師は実はこのことを考える余裕がなく，このような当たり前のことを失念している場合がほとんどなのです。これは実に恐ろしいことです。

　目の前の＜この子＞に障がいがあれば，＜この子＞をマイナスイメージで見てしまいがちになります。歩けない，話せない，友だちと遊べないというように「ないないずくし」で見てしまいます。また，＜この子＞はじっとしていない，とか，言うことを聞けないとみてしまうこともよくあります。これは「そのように見るからそう見える」場合が多いのです。じっとしていなように見えても＜この子＞にはその都度そうする理由があるのです。いつもじっとしていないのではありません。じっとしていない子だと見るからついそう見てしまうのです。

　保育は目の前の＜この子＞を尊重して保育することになりますから，保育者は＜この子＞の名前を大切にして，語りかけるようにしながら保育するという基本姿勢が重要です。

　一人ひとりの子どものちがいを大切にして多様性を尊重するインクルーシブ保育は，一人ひとりに注目してどの子も大事にすることから始まり，一人ひとりの子どもがその子なりに育っているのを見守っていきます。

　徹底した＜この子＞理解こそ保育の原点です。しかし，保育者が＜この子＞を理解しきることは困難です。そこで，いつも保育者は自分の＜この子＞理解を見直す必要があります。つまり自分の＜この子＞理解はいつも「仮の理解」なのだと考えるのです。このようなことを自覚すると，たえず＜この子＞理解を問い直すようになります。そして実は，そうすることによって，＜この子＞を新しく見直すことができるようになり，そのことで新たなかかわり方を試みれるようになります。つまり，＜この子＞理解が深まるにつれて＜この子＞に即したかかわり方をすることができるように，少しずつ近づけるようになると思います。

(2)　＜この子＞への願いについて

　一人ひとりの＜この子＞のちがいを尊重し，一人ひとり＜この子＞の意思を読み取り，どの子も＜この子＞なりに育ってほしい。これは保育者の切なる願いです。保育はこの願いを抱いて一人ひとり異なる＜この子＞たちを見守りながらかかわり育てていきます。

　まず，＜この子＞は何をしたいのか，したくないのか，それはなぜなのか，どのようにしたいのかなどなど，＜この子＞自身はどのようにして生きていきたいと願っているのか，このことを保育者はていねいに読み取る必要があります。

　どの子も＜この子＞なりの願いを持って生きています。もちろん保育者が自分で，すべての＜この子＞の願いを深く知ることは困難ですが，だからといって＜この子＞を理解してその願いを知らなくてもいいというのでは，それは保育ではありません。保育という名の押しつけであり強制になってしまいます。

　目の前の＜この子＞をできる限りその子に即して理解し，＜この子＞の願い，つまり＜この子＞本人の願いを理解しようとすることは保育には欠かせないのです。

　また，＜この子＞の保護者は，我が子にどのように育ってほしいと願っているのか，このことも保育者は少しでも知ろうとする努力が必要です。

　そして，保育者も保育者として，自分は＜この子＞にどのように育ってほしいと願って保育をしているのか，このことが問われることになります。

　保育者には自分の保育観があり，その保育観によって保育をしています。子どもは子どもの中でこそ育つ，このような考え方もあります。また，＜この子＞が保育によって育つのは確かですが，大人の目の届かないところでも子どもは豊かな育ちをしているのだと考える考え方もあります。いずれにしても，一人ひとり＜この子＞は，その子のなりのあり方でその子なりに育っているのです。

　私は，まず，その子なりの願いを尊重しながら，これからの民主主義社会を担う市民として育ってほしいという願いをもって保育してほしいと考えています。まだ乳幼児期にある子どもたちに対してこのような願いは，はたして適切かと問われるかも知れません。しかし，これから先のこの子たちの育ちを考えると，乳幼児期であれ，その子なりの感じ方，考え方，生き方が幼いとはいえ，

少しずつですがすでに自分なりの感じ方，考え方を形づくりつつあるのです。それが＜この子＞の生き方となり，＜この人＞としての生き方へとつながっていきます。保育者はこのような＜この子＞なりの生き方を読み取り尊重していく必要があるのです。

　一言つけ加えれば，幼い子どもは未熟なようにみえますが，新鮮な目で何が大切なのかと見抜いていることが少なくないのです。このことに私たち大人は気づく必要がありますね。

　本人，保護者，保育者の願いの他にも，保育所として掲げる子ども像もあります。また，その保育所のある自治体のめざす子ども像というのもあります。国としてこんな大人に育ってほしいという考えもあります。

　どの子どもも，子どもに関わるすべての人たちの思いや願いの中で育まれていきます。

　また，これこそ一番大切なことなので，最初に書くべきだと思うのですが，今を生き，未来を生きていく＜この子＞たちには，自分と異なる他者としての＜この子＞たちと刺激し合い，ぶつかり合い，響き合い，対話をして，連帯して，育ち合い「共に生きる社会」を創っていってほしいと願っています。

　友だち同士でもお互いに相手に対する願いをもって生きています。共に育ち合う仲間としての思いがあり，相互に影響を与えているのです。つまり，子ども同志が響き合って育っているのです。

(3)　5つの手だてについて

　保育者は，子ども理解と子どもへの願いをした上で，子どもたちにていねいにかかわり保育をしていくことになります。これが具体的な手だてです。手だてには次のような5つの手だてが考えられます。保育者はこの5つの手だてを相互に連動させてかかわります。

　①1対1のかかわりとしての手だて

　②子ども同士の関係づくりの仲介役としての手だて

　③クラスづくりの手だて

　④保育所づくりの手だて

　⑤地域社会づくりの手だて

この5つです。

　たとえば，いいクラスづくりができていれば，一人ひとりの子どもがのびのびと育つでしょう。また子ども同士の関係もよくなるでしょう。また，子ども同士の関係の中で一人ひとりの＜この子＞は育ちます。そして一人の＜この子＞が育ってくると，子ども同志の関係も変化し，クラスも変わってきます。

　このように5つの手だては，相互に関係し合いかつ循環していきます。この循環が少しずつ良循環になっていけばいいのです。

　この5つの手だての関係図は次のようになります。

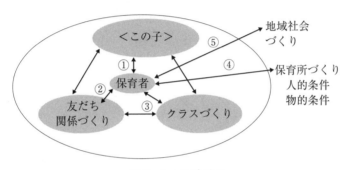

図2　5つの手だて

①1対1のかかわりとしての手だて

　本来保育とは，どの子に対してもていねいにその子への1対1でのかかわりをすることです。一人ひとり子どもも異なるのでその子に応じたかかわりが必要になります。まず，保育者はこのことをよく認識しておいてほしいと思います。集団保育の場合ではどうしても1対1でていねいにかかわる余裕がないため，集団として一まとめに保育しがちですが，そのような保育は一人ひとりの子どもをないがしろにしてしまいがちです。これでは保育と言えません。

　一人ひとりその子なりの育ちを尊重する保育をするためには，くどいようですが，クラス単位で保育することになっても，クラス担任の保育者はこの1対1を心がけながらクラス単位での保育をすることになります。その上でさらに個別に配慮の必要と思われる子どもには，加配保育者がつき1対1対応のかかわりをすることがどうしても必要になる場合もあります。

　加配保育士は障がいのある子の支援を中心にした保育を担当します。その際，
1対1関係をまず重視することになります。はじめのうちはやむをえない面が
ありますが，えてすると加配保育者がいつも障がいのある子の側にいるので，
他児との関係がなかなか育っていかないという問題点があります。次のイラス
トのように，どうしても加配保育者と障がいのある子どもの二人だけで，カプ
セルの中に入っているような関係になっていることもよく見られます。これは
まずいです。

　また，配慮の必要な子どもに対しても，加配保育者がかかわる子どもの側に
いるのが当然だと思っているので，加配保育者なのに離れて見守っているのは
おかしいとみられてしまうということもあります。ですから，園全体でこの点
を共通理解するようにしておく必要があります。

　クラスの中で，障がいのある子がきっかけになり何か問題がおきても，まわ
りの子どもたちは，「Aちゃんは加配の先生がみてくれているから大丈夫」と
思っている場合がよくあります。問題がおきたときこそ，子どもたち同士で助
け合い自分たちで解決していくいい機会になると思います。子ども同士の関係
を見守るようにしたいですね。そのためには園で加配保育者の役割とかかわり
方についてよく話し合って共通認識しておくことが必要です。また，加配保育
者とクラス担当保育者との日ごろからの話し合いも大事です。

②子ども同士の関係づくりの仲介役としての手だて

「子どもは子どもたちの中で育つ」という言葉があります。集団生活をしている子どもたちは，自分と異なる友だちと一緒に生活し遊んでいるのですから，いろんな問題がおきてきます。友だち関係がうまくいかないときには，保育者が仲介して解決の仕方を探ることになります。このようなトラブルは子どもが育ついい機会だからです。どうすればいいのか，何が問題なのか，自分だけの考えが通らないのならどうするのか，子どもたちは悩むのですが，このような経験を通して他者と共に生きる知恵を身につけて育っていくのではではないでしょうか。

障がいのある子とない子が一緒に生活するというインクルーシブ保育の場では，いろんなトラブルがよく起きます。次のイラストもその一例です。加配保育者は間に入って仲裁しようとしているのですが困っているようです。保育者はつい間に入って，こうしたら……と指示してしまいがちです。「実力？」のある保育者は，危険でなければ手も口も出しませんね。

保育を拝見していると，クラス運営をしている担任保育者も，障がいのある子を加配保育者に任せておればいいと考えている場合が多いように思います。私は，担任が＜障がいのある子も自分のクラスの大切な一人である＞という考えをしっかり持っていることが大事だと考えています。

このような保育の問題を解決する考え方と方法については，保育者が，保育とは，障害のあるなしにかかわらず，子どもにどのように育ってほしいと考え

ているのか，によって異なってきます。保育者の保育観が問われていると言っ
てもいいと思います。

　乳幼児期の子どもは，保育所での集団生活を通して生活習慣を身につけ，言
葉を身につけ，他児との友だち関係を身につけていくなど，さまざまな側面で
の成長・発達をしていきます。このような成長・発達を個別指導を中心にする
のか，集団生活の中での育ち合いを中心に育てるのか，という考え方の違いに
よって保育実践のすすめ方も大きく異なってきます。

　インクルーシブ保育の考え方は，子ども同士の育ち合いを通して一人ひとり
の子どもが育っていくのが望ましいと考えます。それは，幼いときからいろん
な子どもたちの中で育ち合うということが，将来社会人として社会の中で生き
ていく上での生き方の基礎になると考えるからです。

③クラスづくりの手だて

　次のイラストを見てください。

　担任と副担や加配との連携ができていないと，子ども同士のトラブルが起き
たときに，加配保育者のミスだとみなされることがよくあります。これは，保
育所の中で，担任の保育者や加配保育者の役割について共通理解が不十分だか
らです。できれば子ども間のトラブルは子ども同士で解決できるようになって
ほしいと思うのですが，なかなかそうもいかないことも多いと思います。そこ

で加配や担任がどのようにトラブルに介入するかするかしないかになりますが，それはケースバイケースです。しかし，できるだけ子ども同志で解決できるようになっていってほしいと私は考えます。つまり，すぐ介入するのではなく，できれば見守るようにしたいのです。

このイラストでは，大人が少し離れて見守っています。なるべく子ども同士で解決してほしいと思っているからです。子どももその子なりに悩みながら考え解決の仕方を探っているのです。この悩んでいるプロセスこそが子どもの育ちにとって欠かせないのです。

インクルーシブ保育は子どもの多様性を大事にします。一人ひとり異なる個性のぶつかり合いの中で子どもたちは育っていきます。そのような子どもたちの育ち合いを保育者はどのような手だてを通して創りだしていくのでしょうか。

障がいのある子との1対1の関係がよくなってきたら，そこにとどまらず，友だち関係はどうなのか，クラスの中でどうなのか，についても同時に考えるようにしましょう。一年間を通して，障がいのある子とかかわることが多い加配保育士は，つい情に流されて，必要以上に障がい児を守ったり，他の子に迷惑をかけないようにと先回りして手出しをしてしまいがちです。しかし，それでは，子ども同士で解決する力が育ちません。

子どもたちはいずれは社会に出て，一人ひとりが社会の一員となって生きていきます。ですから問題がおきたときに，自分で考えて行動し，他者との関係を見直し，クラスづくりにもその子なりにとりくむことによって，社会の中でどのように生きていくのか，その基礎を学んでいってほしいと思います。

クラスづくりの手だてとは，クラス全体での取り組みを進める保育です。このクラスづくりは，主に4歳から5歳にかけてとりくむことになります。クラス単位の保育であるにしても，縦割り保育であるにしても，集団生活をしながら，日課や運動会や生活発表会などの行事の中で，子どもたちの一人ひとりがどの子もクラスづくりや集団づくりの経験を体験してほしいと思います。

④保育所づくりの手だて

これは，自分たちの保育所をどんな保育所にしていきたいか，これを保育者や職員と子どもたちで考えとりくんでいくことになります。どんな保育所にし

たいのか，保育所の理念や目標や大切な保育活動の内容と方法についても考えていくことになります。また，保育所のあり方だけでなく，保育所運営の考え方や方針などについても率直に意見を出し合って決めていきましょう。

⑤地域社会づくりの手だて

　保育所は地域社会の中にありますから，地域との関係を良好に保ち，地域づくりも地域の人々と協力しながら推進していく必要があります。

　園外保育として地域社会に出かけることもよくあります。また，地域の人々に保育園の中に来ていただいて交流を深めることもあるでしょう。

　そして，このことが大切なのですが，保育所に来ている子どもたちや親やその家族は，自分の住む地域社会の大切な一員として地域の中で暮らしているということをよく保育所の保育者は認識しておくことも大事です。このような暮らしが成り立っている地域社会について，保育者はよく理解しつつ地域の人たちと連携を深めていく必要があると思います。

（4）　環境整備

　保育実践の行われる環境の整備も重要です。人的環境の整備と物的環境の整備の2つが考えられます。

　保育者のありかた，運営の仕方など，保育所にかかわることを職員全員で話し合っていくことが大事です。

　保育者の人的配置の問題や保育者間の連携のあり方，保育者が働きやすい環境にするためにはどうすればいいか検討する必要があります。

　また，保育室や園庭などの物的環境，自然環境の整備も欠かせません。

　次のイラストには，人的環境の整備の大切な一つになる保育所・園づくりの話し合いの場面が描かれていますが，保育者同士の連携が基礎になってはじめて，子どもが育つ保育も実践できるわけです。そして，これは，ただ単に保育者の連携にとどまらず，働く場が保育者・職員が自由に意見交換できる場となることになり，より重要な意味があるのだと思います。

4　子どもたちへの3つの願い

　私は，インクルーシブ保育では，子どもたちに次の3つのことを願っています。

　①一人ひとりの子どもが，その子なりに自分で考え行動するようになってほしい。
　②自分だけではうまくいかないときは，あるいは自分でうまくいくときでも，友だちと助け合って生きていってほしい。
　③自分や友だちと生きているこの場を，少しずつよりよいものに変えていってほしい。

　私のめざすインクルーシブ保育は，この3つの願いを相互に関連させバランスをもたせつつ「子どもたち同士の育ち合い」に期待して見守っていく保育です。
　①は一人ひとりがどの子もその子なりの感じ方考え方をしているということです。私は，時々親との話し合いに参加します。その時に，「親子でも別人」と言います。親子でも別の人間なので，感じ方，考え方，生き方も異なっているのです。このようにどの人にも自分の名前があるように一人ひとり異なっているのです。しかし，一人ひとりが異なっているから一人ひとりバラバラでは

寂しい限りです。共に生きている意味もありません。また，何ごとも自分のことを自分で解決していかなければならないというのは無理なことです。この時こそ他者と助け合って生きていくことになります。

　しかし，ここでまた問題が起きてきます。他者と助け合うと言っても，考え方も生き方も異なる者同士が相互に理解し合って助け合うということも，言うことは簡単ですがなかなかむつかしいことなのです。お互いにちがう人間だからです。そこで，このちがいを乗り越えて助け合えるかどうかが問われることになります。ちがいを活かして助け合い，より豊かな生き方を共に追求するということになります。一人で生きるよりも豊かな生き方を生み出す努力が双方にもとめられるのです。

　自分一人で何でもできるわけではないのですから，困った時は，あるいは困っていないときでも，一人ではなく友だちと共にとりくむと，自分では気づけないことに気づけるのですから，②のように友だちに助けてもらえばいいのです。楽しい経験，悲しい経験も友だちと共有しあえばいいのです。

　また③のように，自分の生きる場が心地よい場であれば，①のように自分で考え行動することもしやすくなり，②のように助けあうことも当然のこととしてできるようになります。そして，一人ひとりその子なりのペースで育っていけます。お互いを「尊重しあい認めあえる場」を子ども同士で創っていってほしいと思います。

　このように①②③は相互に補完しあってつながっています。一人ひとりが個人として生き，同時に助け合って生きる，そしてよりよい生きる場を共同して創っていくことが大切な課題となります。このような共に生きる社会を創っていくことが，自分と他者とが連携し連帯していく目的でもあると私は考えます。

参考文献

1　堀　智晴『保育実践研究の方法　―障害のある子どもの保育に学ぶ―』川島書店，2004

2　堀　智晴『障害のある子の保育・教育』明石書店，2004

3　堀　智晴「世界に一人しかいない『この子』の保育」，日本保育学会編『保育学講座1』，東京大学出版会，pp.227-250，2016

4　堀　智晴「インクルーシブ保育の理論と実践」，堀　智晴他編著『ソーシャル　インクルージョンのための障がい児保育』ミネルヴァ書房，pp.1-14，2022

第3章　インクルーシブ保育の意義とその実践上の課題

はじめに

本稿の目的は，インクルーシブ保育の意義とインクルーシブ保育を実践していく上での課題について問題提起をすることである。

1　障害者問題の歴史的経過

1950，60年代から今日に至るまで，障害児保育・教育を含む，障害者問題は大きく変化してきた。それはノーマライゼーションからインクルージョンへの歩みであった。簡単にその歴史的経過を見ておきたい。

(1)　ノーマライゼーションからインクルージョンへ

ノーマライゼーション（normalization）は，1950，60年代に北欧諸国から始まる社会福祉をめぐる理念である。障害のある人が，地域社会の中で障害のない人と同様の生活ができる社会，そのような社会が本来のノーマルな社会であり，障害者を健常者中心の社会に適応させるのではなく，社会の方を変えていくという思想であった。その後1990年代から，インクルージョンという理念が導入されるようになり，今日に至っている。半世紀に及ぶ運動と改革が進められてきたのだが，その中心には，障害児・者自身とその家族による異議申し立てと運動としての闘いがあった。その歴史的経過は次のような経過をたどってきた。

1981年：国際障害者年
1989年：「子どもの権利条約」を国連総会で採択
1990年：「万人のための教育」に関する世界会議
1993年：国連総会で「障害者の機会均等化に関する基準規則」を採択

1994 年：サラマンカ宣言，日本が「子どもの権利条約」を批准
2006 年：国連総会で障害者権利条約を採択
2011 年：日本で改正障害者基本法成立
2013 年：日本で障害者差別解消法制定
2014 年：日本が「障害者権利条約」を批准
2016 年：障害者差別解消法施行，2021 年改正，2024 年施行

1981 年は国連の国際障害者年（「完全参加と平等」）とされ，この年から障害者施策の改革が活発化した。「一部の人を排除して成り立つ社会は弱くもろい社会である」と社会のあり方が問い直され，障害は，本人と社会のあり方との関係の中で生じるものだ，という考え方が提起された。

1981 年の国際障害者年を受けて，翌 1982 年に国連総会で採択された『障害者に関する世界行動計画』は，当時，非常に『革新的な文書』という評価を受けたものだが，教育に関しては『障害児の教育はできる限り一般教育制度（general school system）のなかで行われるべきである』（第 120 段落）とされた。注目されるのは『選択』（第 122 段落）が明記されている点である。

1989 年の 2 回目の条約提案（障害者権利条約についての提案：堀注）が形を変えて実った『障害者の機会均等化に関する基準規則』（1993 年 12 月 20 日に国連総会で採択。以下，機会均等規則）では，『国は障害を持つ児童・青年・成人の統合された環境での初等・中等・高等教育機会均等の原則を認識すべきである。 国は障害を持つ人の教育が教育体系の核心であることを確保すべきである』（規則 6）と規定されている。なお，この段階では，インクルージョンやインクルーシブ教育の国際的な定着度は低かった。翌 1994 年 4 月の『特別なニーズ教育に関するサラマンカ宣言』以降，インクルージョンとインクルーシブ教育は国際的にも大きく定着していった[注1][1]。

(2) サラマンカ宣言とインクルーシブ教育

1994 年のサラマンカ宣言が契機となりインクルージョンという言葉が用いられるようになった。スペインのサラマンカに 92 か国の政府および 25 の国際組織を代表する 300 名以上の参加者が集まり，インクルーシブ教育（Inclusive

Education）を推進するために必要な基本的政策について検討した。そして，1990 年の「万人のための教育（Education for All）」の目的をさらに前進させるために，学校がすべての子どもたち，とりわけ特別な教育的ニーズをもつ子どもたちに役立つためにどうするかについて会議を行い，「特別なニーズ教育における原則，政策，実践に関するサラマンカ宣言ならびに行動の枠組み（Salamanca Statement on Principles, Policy and Practice in Special Needs Education and a Framework for Action）」を採択した。

　障害のある子どもを「特別な教育的ニーズのある子ども」と見なして教育を行う SNE（Special Needs Education）が提起されたのである。「特別な教育的ニーズ」という言葉は，診断された「障害」ではなく，障害のある子どもと，障害はないけれども学習の困難がある子どもも含めて，幅広い観点から，子どもの教育的援助について言及する教育的概念として用いられたのである。

　この宣言の冒頭を見てみよう。

　我々は以下のことを信じて宣言する。

①すべての子どもは教育への権利を有しており，満足のいく水準の学習を達成し維持する機会を与えられなければならない。

②すべての子どもが，独自の性格，関心，能力および学習ニーズを有している。（every child has unique characteristics , interests , abilities and learning needs.）＜ここでは，性格，関心や能力と並べて「学習ニーズ」という言葉が使われている。

③こうした幅の広い性格やニーズを考慮して，教育システムが作られ，教育プログラムが実施されるべきである。

④特別な教育ニーズを有する人々は，そのニーズに見合つた教育を行えるような子ども中心の普通学校にアクセスしなければならない。（those with special educationalneeds must have access to regular schools which should accommodate them within a child centred pedagogy capable of meeting these needs.）＜ニーズに見合った子ども中心の普通学校で学ぶべきとしている。

⑤このインクルーシブな方向性を持つ学校こそが，差別的な態度とたたかい，

喜んで受け入れられる地域を創り，インクルーシブな社会を建設し，万人のための教育を達成するためのもっとも効果的な手段である。さらにこうした学校は大多数の子どもたちに対しても効果的な教育を提供し，効率性をあげて結局のところ教育システム全体の経費節約をもたらすものである。＜インクルーシブ教育は障害のある子どものためだけの教育ではない。すべての子どもにとっても必要な教育であること，また，最後のところでは，政策実現の経費戦略についても書いている(注2)(2)。

　なお，宣言本文の行動枠組みの53では，幼児教育について次のように書いている。

　インクルーシブな学校の成功は，特別な教育的ニーズを有する幼児の早期の確認，評価そして刺激に非常に関わっている。幼児期のケアと六歳までの幼児のための教育プログラムは，身体的，知的及び社会的な面の成長や学校教育に向けてのレディネスを促すように発展させられ，そしてあるいは，新しく定められるべきである。こうしたプログラムは障害という条件の悪化を防ぐことになるため，個々人や家族，さらには社会にとって大きな経済的価値をもたらすことになる。この段階のプログラムは，インクルージョンの原則を踏まえて就学前の活動と幼児期の健康ケアとを結び付けるという総合的な方法によって発展させられるべきである(3)。

　このようにサラマンカ宣言では，「障害のある子ども」を「特別な教育的ニーズのある子ども」と規定し，そのニーズに応じる教育を普通学校の中で行うべきとし，さらにその学校では，子ども中心の教育が行われるべきだとしたのである。

　ところで，この「特別な教育的ニーズ」という概念は，障害児観の画期的な転換であったといってよいのである。障害のある子どもを，まず一人の子どもと見た上で，できないこと，分からないこと，つまり障害（disability）の視点から見ることをやめて，その子ども自身が要求している，つまりニーズ（needs）を持つ子どもと考えるのである。子どもを障害から否定的に見るのでなく，ニーズを訴えて積極的に生きようとする主体として捉えるように転換

したのである。

　この新しい「特別な教育的ニーズ」という概念が世界で初めて使われたのは
1978年で，イギリスのマリー・ウォーノック（Mary Warnock）を議長とす
る障害児・者の教育調査委員会の報告書においてであった。このウォーノッ
ク報告を受け，イギリス政府は1981年教育法で，特殊教育の対象となる子ど
もを，「障害」のある子どもから，「特別な教育的ニーズ」のある子どもへと，
概念の一大転換を行ったのである。

　ところで，有松は，この当時のイギリスにおける「ニーズ教育政策とインク
ルーシブ教育政策の妥当性」について検討している。この中で，有松は，「ニー
ズ教育は，『正確なニーズの把握とそれに基づく適切な教育的支援』という事
が根幹であるが，ニーズの把握という事が一義的には問題で，これが非常に難
しく，後述するようイギリスのニーズ教育が矛盾に陥っている」と指摘し，結
局，イギリスのニーズ教育についての記載の中に，「教育的ニーズを把握し，
必要な教育的支援を行う（2005年）と言われても，ニーズ把握のための基本
的な考え方や基本的方法の方向性さえ示されていない。政策の理念にかかわり，
施策の根幹にかかわることに方法が示されていないのは今日まで変わらず，理
念そのものに限界があるとさえいえる事態である」と厳しく批判している。

　そしてさらに，「イギリスでは，『特別な教育的ニーズコーディネーター』が
アセスメントを行い，それをステートメントにして支援につなげるという制度
がきわめて不十分ながらあるが，日本では，実際には従来の医療診断がニーズ
把握の唯一の手段になっている。これは教育的支援につながらず，教育現場の
委員からは『支援を診断と治療に結びつけるために特別支援教育コーディネー
ターはほとんど養護教員がなっている』という指摘がなされている。教育と医
療の親和的関係は深まっていて，障害児への向精神薬の多剤大量の投与が問題
になる事態を引きおこしてさえいるのである」[4]とまで指摘している。つまり，
新らしい概念の提出であったが，イギリスではこのニーズの把握が不十分で
あったと指摘しているのである。

(3) 障害者権利条約と当事者主体

　障害者権利条約は4年間の審議を経て2006年12月，国連総会において採択

された。東はこの条約の意義を次のように書いている。

　この条約は主要な人権条約の中では，一番遅くできたものである。これは，障害のある人に対する一般社会の認識が，保護の客体という考え方から脱却して人権の主体という考え方に変わるまでには，多くの歴史的な努力と時間が必要であったという事情による。

　この権利条約に課せられた大きなテーマは，障害のある人が今なお一般社会から排除されている現状を前提に，いかにインクルーシブな（非排除的な）社会を構築するのかということであり，これを人権レベルでどのように組み立てるかであった。

　このため，この権利条約では，障害に基づく差別を禁止するだけではなく，これまで子どもの権利条約でも明らかにされてこなかった障害に基づく差別の内容をはじめて定義化することになった。特に合理的配慮の欠如も差別に当たるとして，これまで障害のある人の存在を無視した社会発展によって生じた社会的格差や社会的排除を，個人の権利を認めて除去する手段を法的に用意することになったのである。

　このような被差別の原則を基調として，一般には保障されているが障害のある人にとって享有することの困難であった社会生活のすべての分野に関係する人権を，あらためて障害のある人の視点から再構築したのがこの権利条約である[5]。

　ところで，私は障害者権利条約の特質を次の3点に整理しておきたい。

1）　障害者観の転換

　障害者権利条約は，障害者を治療や保護の「客体」としてではなく，人権の「主体」として考える障害者観に立っている。また，条約の中で何度もくり返し「他の人との平等を基礎として」という文言が使われ平等を謳っている。障害者権利条約の草案の作成と検討には障害者自身が参加した。特別委員会の下部機関である「作業部会」には，総計40名のうちの12名をNGO（障害者団体）の代表が占め，障害当事者の意見が草案に大きく反映された。条約の交渉過程の終わりには「私たちを抜きに私たちのことを決めてはならない」"Nothing about us, without us"と叫んだのである。

2)　医学モデルから社会モデルへの転換

　社会モデルとは障害者の直面する社会的不利は社会の側の問題だとする考え方である。　障害者は，社会にある障壁によって自分の力を発揮する機会を奪われてきたのである。この障壁こそなくしていく必要がある，と考え方を転換させたのである。これまでの医学的モデルでは障害の治療と訓練が行われてきたのであった。

　この社会モデルは，すでに「障害者の機会均等化に関する基準規則」の中にも見られたものである。

3)　インクルーシブ教育への転換

　障害者権利条約では，障害児の教育をインクルーシブ教育に転換させるべきだと明言している。ここで権利条約の第 24 条の教育条項を見ておきたい。次のように定められている。

第 24 条　教育

1　締約国は，教育についての障害の人の権利を認める。締約国は，この権利を差別なしにかつ機会の平等を基礎として実現するため，あらゆる段階におけるインクルーシブな教育制度及び生涯学習であって，次のことを目的とするものを確保する。

　(a)　人間の潜在能力並びに尊厳及び自己価値に対する意識を十分に開発すること。また，人権，基本的自由及び人間の多様性の尊重を強化すること。

　(b)　障害のある人が，その人格，才能，創造力並びに精神的及び身体的な能力を可能な最大限度まで発達させること。

　(c)　障害のある人が，自由な社会に効果的に参加することを可能とすること。

2　締約国は，1 の権利を実現するに当たり，次のことを確保する。

　(a)　障害のある人が障害を理由として一般的教育制度から又は中等教育から排除されないこと。

　(b)　障害者が，他の者との平等を基礎として，自己の生活する地域社会において，障害者を包摂し，質が高く，かつ，無償の初等教育を享受する

　　ことができること及び中等教育を享受することができること。

　(c)　個人に必要とされる合理的配慮（reasonable accommodation）が提
　　　供されること。

　(d)　障害者が，その効果的な教育を容易にするために必要な支援を一般的
　　　教育制度の下で受けること。

　(e)　学問的及び社会的な発達を最大にする環境において，完全な包摂（イ
　　　ンクルージョン）という目標に合致する効果的で個別化された支援措置
　　　がとられること。

　このように障害者権利条約の教育条項である第24条では，障害のある子ど
もの教育はインクルーシブ教育であるべきであると明確に述べている。

　なお，下記の東の指摘のように第7条では，特に障害のある子どもについて
の独立条項があり，これは子どもの権利条約との関係について書かれたもので
あるが大変重要なものである。とりわけ保育関係者はよく認識する必要がある。

　障害のある子どもに関する独立条項である第7条では，障害のない子どもと
平等に人権を享有できるようにする締約国の人権保障義務や最善の利益の原則
の確認，さらには意見の表明権とそれに対する支援を受ける権利などが規定さ
れたにとどまっている。ただ，（子どもの権利条約では：堀注）子どもの意見
表明権は『自己の意見を持つ能力のある子ども』に限定されていたので，障害
のある子どもにはその能力がないと解釈される恐れがあった。そこで，この障
害者権利条約では，その限定的な文句を削除するかわりに，『他の子どもとの
平等を基礎として』という文言が挿入された。これは，子どもの権利条約上の
権利以上のものを保障するわけではないが，障害があるというだけで，この権
利が否定されるべきではないということを確認するものであり，さらに，障害
のない子どもと同様に権利が行使できるよう，意見表明をする際の支援を受け
る権利を認めたものである。この支援を受ける権利は，合理的配慮がないため
に形式上は保障されているが実質上権利行使できていないという現状認識を前
提に，一定の配慮によって権利行使を可能ならしめていこうとするこの条約の
基本的な考え方の表れである[6]。

この点は子どもの権利条約における意見表明権の規定より前進したと言える
のである。

(4) CBR (Community based Rehabilitation) の観点の重要性

ここで，CBR の重要性について書いておく必要がある。CBR については，
サラマンカ宣言においても本文のⅡの15のところで，国レベルの行動方針＜政
策と組織＞として示されていた。ここでは，紙数の都合から，肥後の研究を紹
介しておきたい。

肥後は「CBR の日本の教育への示唆」について，1981 年の WHO の CBR
の定義「障害者自身やその家族，その地域社会の中の既存の資源に入り込み，
利用し，その上に構築されたアプローチ」を紹介した後で，CBR の意義として，
「障害者へのサービス提供の一形態としての CBR」と「障害者へのサービス提
供システムの哲学（考え方）としての CBR」の二つの次元が考えられるとし
ている。

前者は，サービス提供の場を施設から地域社会へ転換するということであり，
後者は，専門家中心から利用者中心への転換，中央集権的管理機構から地域社
会中心的管理機構への転換，トップダウンからグラスルーツへの転換と多くの
価値観の転換を内包しているものであるとする。

私は CBR の観点からインクルーシブ保育・教育を推進していくことが大変
重要だと考える。肥後は IBR (Institution-based Rehabilitation) と CBR とを
比較して次頁の表1に整理しているので参照していただきたい。これを見ると，
ソーシャルインクルージョンを実現していく重要な観点が確認できる[7]。

表1　CBR の内包するパラダイムチェンジ

従来のパラダイム	CBR のパラダイム
障害者サービス提供のモデルの転換	
(1)　医学モデル・対個体モデルの転換（病理的な部分の発見とその部分へのアプローチ） (2)　医学・心理学の強調 (3)　専門家中心主義 (4)　専門家の絶対視	相互作用モデル・対社会モデル (1)　障害者を取り巻く環境への明確な取り組みの位置づけ (2)　社会学の強調 (3)　消費者中心主義（パターナリズムからの脱却） (4)　専門家の相対化
障害者サービス提供のあり方の転換	
(1)　施設のサービス提供 (2)　画一化・規格化されたサービスの提供 (3)　職人技への信奉	(1)　地域社会におけるサービス提供 (2)　地域の現状に合わせたサービスの開発 (3)　チームアプローチの重視
社会資源の評価と運用における転換	
(1)　拠点施設の有無に関する評価（ゼロからの出発） (2)　コミュニティのウィークネスの評価 (3)　家族のリハビリテーションチームのメンバーとしての軽視 (4)　人的・社会的資源の施設内だけでの運用 (5)　サービスの一極集中	(1)　潜在的社会資源の発掘と運用の視点（人的・社会的資源の再評価と再開発およびエンパワメント） (2)　コミュニティのストレングスの評価へ (3)　家族のリハビリテーションチームのメンバーとしての重視へ (4)　社会的資源としての位置づけと，専門家の知りえない情報の把持者としての評価 　　人的・社会的資源の機動的な運用 (5)　サービスの質の階層化とサービス提供の広域化
政治的・施策的視点の転換	
(1)　中央集権的管理機構 (2)　セグリゲーション	(1)　地域社会中心的管理機構 (2)　インクルージョン

2　障害児保育の変遷—子ども主体の保育に向けて

(1)　障害児保育の始まりと発展

　障害児保育の始まりは，本格的には1970年代の中頃からであった。それまでは比較的軽い障害のある子どもは受け入れられていたが，親の強い願いから重度の障害のある子どもも保育することになった。しかし，はじめは実践がうまくいかない。これまでは，保育者の指示通りに保育できる子どもたちだったのである。こういうなかで保育実践は試行錯誤しながらであったが，これまで

の保育のあり方を根本から見直すことが必要と考えられた。地道な実践研究を積み重ねながら障害児保育は発展してきた。

　私が実践研究に参加した大阪府堺市においては、研究指定園制度を作り現場での実践研究が進められた[8]。

　大阪府では、大阪市、箕面市、豊中市、高槻市などでも実践が始まった。名倉は、豊中市が「障害児保育基本方針」を策定（1974年）した翌年から、「発達の基礎講座」を担当したが、その経験をもとに「ハンディをもつ子と共に保育を展開するための保育内容プログラム」を作成できると、その基本原則を提案している。さらに名倉は「子どもの発達を促すに相応しい保育課題ならば、恐らく子ども自身の今求め必要とする要求にも合致し、彼らの興味・関心に結びついて、積極的にその課題や活動に関わり、取り組んでくるはずである」と指摘している。

　そして、そのまとめでは、「従来の年齢集団を基準にして、その平均の発達像を目安としてカリキュラムがつくられ、それをもとにして集団として束ねて保育実践をする基本的態度を変革するならば、その子に応じたカリキュラムがつくられ、様々な違いと特徴をもった子らが、いろんな質のレベルでの関わりをもって共同生活をして高まり合い、生き甲斐を感じる保育集団として極当たり前に、ハンディを持つ子も共に保育生活ができると思われる」と書いている[9, 10, 11]。

　大阪で見られたのと同じように、障害児保育の実践が、地域差はあるとは言え、全国各地でこの頃から取り組まれていったと考えられる。この障害児保育の発展の経過はおおよそ次のように展開したと言える。

①まず、障害のある子どもを受け入れる。

②どうしてよいのか模索する中で、障害のある子どもの保育に追われる。

③これまでの保育のあり方を問い直す必要を認識することになる。

④子ども同士の育ち合いに気づき、育ち合いを育てる保育の大切を認識する。

⑤保育実践研究の中で、個の育ち、仲間関係の形成、クラス集団の形成、保育所ぐるみの取り組み、保育環境の整備の五つが保育の課題となり、これに組織的に取り組む必要が出てくる。

⑥保育から学校教育へ，そして卒業後の地域生活につながる長い取り組みが
必要になる。なお，望月は，日本における障害児保育の制度化の歴史的経
過，国際的な権利獲得の変遷，日本における特別支援教育の流れについて
説明している。その上で，現在の「子ども・子育て支援新制度」の下では，
「提供者が障害児の保護者との契約を結ぶことを敬遠するおそれがある」
ことを指摘し，合理的配慮の必要性について指摘している[12]。

(2)　子どものニーズに応じる保育へ

　インクルーシブ保育・教育についての歴史的経過をみてくると，障害のあ
る子どもの保育・教育は，現時点で大きな転換が求められていると言える。こ
の転換は，障害のある子どもに対する保育・教育に限ったことではなく，他の
すべての子どもの保育・教育についても言えることである。その転換の特色
を私は以下の5点に整理した。

　①これまでの保育・教育のあり方を根本的に問い直す必要があること。

　②障害のある子への実践は，障害のない子の保育・教育にも当てはまる。子
　　ども主体の保育・教育実践を創り出していくこと。

　③②を実現するために，「障害のある子ども」という見方から，「特別なニー
　　ズのある子ども」という見方への転換を行うこと。また，すべての子ども
　　についても「その子なりのニーズのある子ども」と捉えること。

　④多様な子どもたちが共に生活する中で，相互に育ち合えるような実践を創
　　り出していくこと。

　⑤子どものニーズは，子どもを取りまく社会環境と相互に影響し合っている
　　ので，この社会環境を整備していく必要があること。保育・教育の歴史を
　　見直してみれば保育所や学校のあり方が大きく変わってきたことに気づく。
　　いや，ほとんど変わっていないという見方もできるかもしれない。保育所
　　や学校の目的や，法・制度のあり方，社会にとっての意義，子ども自身に
　　とっての意義など，いろいろな視点から見直してみると，今の保育所や学
　　校が本来の姿であるとは決して言えないのである。

　しかし，ここでは障害のある子どもの保育・教育に関わって，子ども主体の
実践になっているかという視点から，そのあり方を考え直してみたい。根本的

な問い直しといっても，それは大それたことをする必要はない。保育・教育についての考え方を見直せばよいのである。現在の「保育者主体の保育」から「子ども主体の保育」へ，「教師主体の教育」から「子ども主体の教育」へと転換させるのである。

　ここで考えておかなければならない点がある。それは，「子ども主体の保育」とう表現についてである。「子ども主体」とは文字通り子どもが主人公という意味である。それに対して「保育」とは，元々保育者が子どもを対象にして行う行為であるので，保育者主体である。つまり，「子ども主体の保育」とは，表現自体が矛盾しているのである。しかし，本稿では，保育・教育のあり方と実践について考えるので，この表現を用いながら考えていく。

1）　子ども主体の保育

　「子どもの主体性を尊重している」「子どもを大切にしている」「子どもを信頼して任している」と言うけれども真にそうなっているのかという見直しが必要である。言い換えれば，実践がはたして真に「子どもの最善の利益」をめざして行われているのかということである。この点を障害のある子どもの保育・教育を通して考えてみたいのである。

　子ども主体の保育と言うが，まだ未熟な乳幼児の主体性を保育の場で認めてよいのか，という疑問が出るだろう。また，障害のある子どもを前にして主体性を尊重する実践とはどういうことなのか，という疑問が出るだろう。長い間，障害のある子どもの主体性は認められてこなかった。幼い子どもは保護の対象と見なされ，障害のある子どもは治療・訓練の対象とされてきたからである。

　幼保連携型認定こども園教育・保育要領を見ると，子どもの「主体性の尊重」が各所で明記されている。第1章　総則の第1「幼保連携型認定こども園における教育及び保育の基本及び目標」の「1教育及び保育の基本」には，乳幼児期の教育及び保育の目的を書いて，重視すべき4つの事項が示されている。その（2）には，「園児の主体的な活動を促し」とある。また，この（1）から（4）までの保育を実現するためには環境整備が必要であるとし，「園児の主体的な活動が確保されるよう園児一人一人の行動の理解と予想に基づき，計画的に環境を構成しなければならない」と書かれている。園児の主体性を確保することが重視されているのである。

　要領の解説の中では，この「1 教育及び保育の基本」にかかわって，5つの視点が示されている。その (2)「環境を通して行う教育及び保育」では，「①環境を通して行う教育及び保育の意義」の中で「幼保連携型認定こども園における教育及び保育においては，教育課程その他の教育及び保育の内容に基づいた計画的な環境をつくり出し，その環境にかかわって園児が主体性を十分に発揮して展開する生活を通して，望ましい方向に向かって園児の発達を促すようにすること，すなわち環境を通して行う教育及び保育が基本となるのである」と書いて，＜主体性が発揮される＞のを重視している。

　またこの (2)「環境を通して行う教育及び保育」の②では，「園児の主体性と保育教諭等の意図」と題して，「園児の主体性と保育教諭等の意図がバランスよく絡み合って成り立つものである」と明記されている。この「環境を通して行う教育及び保育」はこれまでの保育所保育指針でもその立場に立っていた[13]。

　では，実際の保育の場面ではどうであろうか。 私の見解は，子どもの主体性を強調しすぎるぐらい強調して，ようやくバランスが取れる状態になるといった方がよいのではないか。 実際に保育実践の反省会において「子どもの主体性」の視点から実践を検討するということは，これまでほとんど行われていないと言ってもよいのである。

　2）ニーズに応じる保育

　まず「ニーズ」について考える。インクルーシブ保育を実践する場合，保育者は，ニーズとは何か，という問いを抱えながら実践する必要がある。何が子どものニーズなのか，そのニーズに応じるとはどうすることなのかと模索する必要があるのではないか。そうすることではじめてニーズとは一体何かが少しずつ見えてくるのではないか。

　ニーズとは，needs であり，その意味は「要求」「必要」である。インクルーシブ保育・教育の成立過程を振り返ってみると，ニーズの概念が登場した意義は大きい。私は，障害のある子もニーズのある存在，要求する主体であるのだと気づかされて感動したことを思い出す。

　それまでは否定的に障害のある子どもと見ていたのを，子どもはニーズを持っているのだから，そのニーズに応じる実践が必要なのだ，問題は障害のあ

る子どもの側にあるのではなく，こちらの実践こそが問われているのだということに気づき，これはまさに発想の逆転が必要なのだと受けとめたのである。

　ところで，「ニーズ」と言う needs のカタカナ読みは，日本語の「要求」と少しニュアンスが異なるようにきこえてしまう。私には「ニーズ」は「要求」よりも曖昧な印象を受ける。

　民秋は，「『保育ニーズ』についての検討」という＜研究＞の中で概念整理を行っている。もっとも，この場合は「保育のニーズ」で，例えば「もっと長い時間保育して欲しい」などの保護者から保育所への「要求」である。しかし，私は，ニーズについて考える上で参考になった。

　民秋によれば，ニーズ（needs）の意味の中には，「必ず」「どうしても」という副詞があり，「必要性」「必要」「要求」という意味があるが，同時に「不足」「欠乏」という意味もある。「要求」は「ほしい，必要とする」あるいは，「当然の権利として求める」と言う意味であり用法である。一方，「不足」は，「足りない」「十分でない」「欠けている」という状態を指す。そこには「補充」「補完」が必要となるというのである。だから，必要なのは，不足しているから，補充の必要があるという場合なのである。

　保育ニーズは親（家族）から保育所への要求であるが，相互関係を視野に入れる必要があるという。また，親ではうまく対応しきれないときに要求が出されるという。民秋は最後に，保育所は保護者の「保育ニーズ」に応えるつとめがあるが，「要求」する保護者の方にも相互に課せられた役割があるとしている。また，保育ニーズという要求は，すべてを受け入れるべきものではないはずで，保育所にできることを考える必要があるとするのである[14]。なお，「要求」には，期待，註文，要望，注文，求める，請う，願う，望むなどの類語がある。

　本稿で問題にしているのは子どものニーズである。保育実践では，この「子どものニーズ」に応じる保育が求められるのである。そこで，このニーズにどのように応じるのか，どこまで応じればよいのかが問題になってくるのである。子どもの主体性を尊重すれば子どものニーズに応じることになる。しかし，＜尊重＞にとどまるのであればすべてに応じる必要はない。

　この子どものニーズに応じる保育の実践について考えるとき，子どもに応じることについて，幼保連携型認定こども園教育・保育要領の解説に次のよう

な説明がある。

「1　教育及び保育の基本」の解説の「(4) 幼保連携型認定こども園における教育及び保育の基本に関連して重視する事項」の「④園児一人一人の発達の特性に応じた指導」の中の「イ　園児一人一人に応じることの意味」が解説されている。ここでの内容は，まさに子どものニーズに応じる保育にかかわる解説である。

「園児一人一人の発達と特性」で，子どもが一人ひとりの発達が異なるのでその子どもに応じる指導をする必要があると述べている。それは子どもが自分の要求を満たしてくれるので保育教諭等に親しみや自分への愛情を感じて信頼を寄せてくる。その場合に，注意を要するとして，下記のように指摘している。

「しかし，園児一人一人に応じるというとき，ただ単にそれぞれの要求に応えればよいというわけではない。このような要求や主張を表面的に受け止めて応えようとすれば，全てに応じきれなくなり，逆に園児に不信感や不安を抱かせてしまう。また，応じ方の度が過ぎれば園児の依頼心やわがままを助長するなど，自立を妨げることにもなる。保育教諭等の応答は，幼保連携型認定こども園における教育及び保育の目指す心情，意欲，態度を育てるために，園児一人一人の何に応じればよいのか考えたものでなければならない」としている。

そして「保育教諭等は，あるときは園児の要求に即座に応えるのではなく，自分で考える機会を与え，園児同士で教え学び合うように促していく必要がある。また，同じような要求であっても，園児に応じて応え方を変える必要がある。そのような応答のためには，保育教諭等が，園児の具体的な要求や行動の背景に，意欲や意志の強さの程度，明るい気分，不満に満ちた状態，気落ちした気分などの心情の状態など園児の内面の動きを察知することが大切である。そして，その園児がそれらの要求や行動を通して本当に求めていることは何かを推し量り，その園児の発達にとってどのような経験が必要かをそれぞれの場面で可能な範囲で把握していることが大切である」と述べている[15]。

ここに書かれている子どもの要求とはまさに本稿で考えてきたニーズである。このニーズを大切にしてニーズに応じる保育が必要だと書いているのである。しかし，本稿においてインクルーシブ保育について考えてきたことと少しずれているように感じる。それは，上記の解説が保育をする側，つまり保育者の「保

育の心得」についてのものであるからだろう。保育される子どもの側から書かれていないからである。

　保育は子どもの主体性と保育者の主体性とが出会う場，ぶつかり合う場と言ってもよいのであるが，そのような場で展開されるのが保育実践である。保育者から見れば＜保育＞であるが，子どもの側から見ると＜生きる＞＜遊ぶ＞ということである。ずれがあるのが当然なのである。それゆえ実践者はこのずれを感じ取り引き受けつつ保育実践を問い直す姿勢が欠かせないのである。

　このようにニーズというけれども，誰の把握したニーズなのか，が問題になる。「まさに＜子ども自身の＞子どものニーズ」であるのか，「＜子どものニーズとして大人が捉えた＞子どものニーズ」であるのか，という問題である。ニーズに応じる保育と簡単に表現するが，この二つのニーズの捉え方のどちらのニーズを実践について考える上で問題にしているのかが重要なのである。つまり「子どものニーズ」を捉えるのはよほど慎重にする必要があるのである。

　七木田は「特別な配慮を要する子ども」の最後に，「配慮の必要な子どもの保育の未来のために」と題して，特別支援教育制度の眼目を「『障害のある児童生徒一人ひとりの教育的ニーズに応じて適切な教育的支援を行う』ということを強調しているところにある」と述べて，シドニーの取り組みを紹介しながら「保育者にとって『一人ひとりの教育的ニーズに応じて適切な教育（保育）』を行うという考え方は，とても受け入れやすいものである。保育では『一人ひとりの育ちを把握』することが保育者にまず求められる。その子に合った適切な保育をすることは日常的に行っていることである。言ってみれば，それこそが『保育の原点』なのではないかと考える」とまとめている[16]。

　「保育の原点」と表現すればその通りである。しかし，実際の実践では，真に子ども自身のニーズ（つまり第①のニーズ）に応じるというよりは，子どものニーズと保育者が捉えたニーズ（つまり第②のニーズ）に沿った保育になっているのではないか。この点を問い直さなければならない。実践を現場で拝見すると，実践者がこの点を自覚しつつ実践している場合はまれなのである。

3）　分かりにくい「特別なニーズ」

　さらにもう一つ難しいことを考えておく必要がある。それは，障害のある子どもの「特別なニーズ」は分かりにくい場合が多いということである。自閉

症の東田直樹が自分のニーズを言葉にして出版したのが，『自閉症の僕が跳び
はねる理由』という本である。その中で，東田は外からは，あるいは他者から
は理解しにくい自分について，具体的な問いに答える形で自分が感じ考えてい
ることをわかりやすく説明している。これを読むと当事者の声に耳を傾け，こ
の表現から本人の感じている中味を感じ取ることがいかに大切であるのか，ま
た困難であるのかが分かるのである。一例をあげる。

13　みんなといるよりひとりが好きなのですか？『いいのよ，ひとりが好き
なんだから』僕たちは，この言葉を何度聞いたことでしょう。人として生まれ
てきたのにひとりぼっちが好きな人がいるなんて，僕には信じられません。僕
たちは気にしているのです。自分のせいで他人に迷惑をかけていないか，いや
な気持ちにさせていないか。そのために人といるのが辛くなって，ついひとり
になろうとするのです。

　僕たちだって，みんなと一緒がよいのです。だけど，いつもいつも上手くい
かなくて，気がついたときにはひとりで過ごすことに慣れてしまいました。ひ
とりが好きだと言われるたび，僕は仲間はずれにされたような寂しい気持ちに
なるのです[17]。

　柴崎は「特別な支援を必要とする乳幼児の保育に関する最近の動向」と題し
て「展望」を2009年に『保育学研究』に書いている。そこでは，「障害があっ
ても共に生きられる世界を保育の中でどう構築していくのか」という提案の中
で，東田の本を紹介して「本人たちの語る言葉（表現）」を大切にすることを
第1にあげている[18]。

(3)　インクルーシブ保育の意義

　まず，インクルーシブ保育が登場した第1の意義は，これまでの保育の問い
直しを求めているという点にあるということである。これまでは，保育者の思
うように子どもを育てていたのであるが，障害のある子どもたちが入所してき
て改めてこれまでの保育は保育者中心の保育であったことに気づかされたので
ある。そして，障害のある子も含めて，どの子どもも一人の人間として自分

で考え行動し生きていたのだと気づかされたのである。

　ところで，子ども主体の保育になれば，主客が逆転して，保育者は客体になるのかというと決してそうではない。保育とは，子ども同士の関わり合いと，保育者との関わり合いによって展開されている。子どもはどのように生きていきたいのか，何をしたいのか，したくないのか，保育者に何をやって欲しいのか，やって欲しくないのか，どの子どもも考えて生きているのである。また，その一方で，保育者は子どもにどんな人間に育ってほしいか，そのためにはどんな関わりをすればよいのか，してはいけないのか，この点を考えながら実践を行っているのである。

　くり返しになるが，インクルーシブ保育の意義は次の 4 点にあると考えられる。

　①子どもを保育の主体と見ること

　本人が何をやりたいのか，どう生きていきたいのか，子ども本人の主体性を尊重し，そのニーズに応えようとすることが保育実践に求められているのである。これまでは，保育者が主体で子どもが客体であった。子どもは指導の対象と見なされてきたのである。

　保育は主体と主体との関係である，と先に書いたが，これまでの経過を考慮すれば，主体と客体とを逆転させるぐらいの思い切った取り組みがあってもよいのではないか，とさえ言いたくなるのである。

　②主体者である子ども自身のニーズを尊重すること

　③子どもの多様性を尊重して子ども同士の育ち合いを育てること

　保育の場は社会の縮図であると言ってもよい。いろいろな子どもたちが生きている。その子どもたちの個性が異なりその社会的背景も異なる。そのような多様な存在のるつぼの中で，子ども同士が影響を及ぼし合って生きている。保育者はこの関係をこそ見守り育てて欲しい。つまり，保育者の役割は子ども同士の育ち合いを育てることに主眼を置くようにするのである。

　④インクルーシブ保育の実践につながる社会環境を創り出すこと

　これは先に紹介した CBR の考え方に基づいた取り組みをすることを意味している。どのような実践もその実践が行われる場の「磁力」の影響を受けている。その場は歴史的，社会的な環境なのである。この環境を変えるためのパラ

ダイムチェンジが欠かせないのではないか（表1参照）。

（4）　インクルーシブ保育・教育の実践事例を通して考える

最後にインクルーシブ保育・教育の実践の一端を紹介しておきたい。

1）　愛育養護学校での実践

その第1は愛育養護学校の実践である。津守真は次のように書いている。

　子どもたちは『明日のため』に生きているのでも『過去』を背負つて生きているのでもありません。今を，自分自身を主体的に生きようとしています。その生きる場所こそ“学校”です。私は，長い間，実践に近いところで子どもの発達と教育の研究をしてきました。ことに自由に遊ぶ子どもの姿に魅かれ，その中で子どもが成長するのをみてきました。実際の場に立つとすぐにわかることですが，子どもが何かをしはじめたとき，ゆっくりとそれにつき合っていると，子どもは思いがけない活動を展開させます。そういう活動は，たいがい子どもにとって意味のあるものです。それには時間がかかるので，大人は待つことができず，途中で中断して他のことをやらせがちですが，そうしたら活動は子ども自身のものでなくなります。子どもがしようと思ったことを最後までやりきる体験を子どもは日日必要としています。

　このことは障害をもつ子どもにも同様です。障害をもつからと言って，十分に遊ぶ体験をすることができなかったら，毎日の生活に不満が残るでしょう。遅れている部分にだけ目をとめて，その部分を普通の水準に近づけるために，しはじめたことを中断して別種の訓練をせねばならないとしたら，子どもはそれをどう感じるでしょうか。私は障害をもつ子どもも遊ぶたのしさを体験することは，人間として成長するのに欠かせないと思います。

　学校は子どもが自分の活動を展開する場です。愛育養護学校の校長を，私が自分の人生の道程として選んだとき，私の心には，このような教育実践の場を，この現代にひとつでもつくることができたら，どんな理論による主張よりも強いという考えがひそんでいたと思います。

　ことに養護学校にくる子どもたちは，家庭や社会の生活で，誤解されたり，自分の存在の価値を疑うような体験をしていることも少なくありません。そ

の子どもたちが，この学校にくれば自分が主人公になって遊び，活動し，くつろぐことができる，そういう学校を私は造りたいと思ってきました[19]。

　ここでの紹介は，この学校の教育の基本方針であって実際の実践はこの基本方針と異なる点もあるだろう。しかし，このような基本方針こそ，インクルーシブ保育・教育がめざしている学校の基本方針であるといえる。もちろん，ここは養護学校であるので，インクルーシブ教育への取り組みは別に取り組む必要がある。

2)　大阪市立大空小学校の実践

　第2の実践は，現在の公立小学校の実践である。大阪市立大空小学校の実践である。ここでの実践はドキュメンタリーとそれを元にした映画『みんなの学校』として多くの人に知られている実践である。私は大空小の開校2年目から10年以上その実践を拝見してきた。大空小は，子どもたち，教職員，保護者，地域の人たちそれぞれが，学校づくりの主体として「みんなの学校」をつくっている。また，大空小学校には，「自分がされていやなことは人にしない，言わない」という一つの約束があり，子どもたちはトラブルが起きたときには，その子ども同士「やり直し」をして考え合うのである。そのくり返しの中で子どもたちは6年間かけて少しずつ育っていく。私が大空小で学んだのは，子どもの一人ひとりに自分で考え行動する力が育ち，それが友だち関係，クラスづくり，またさらには学校づくりにつながっていることを子ども自身も自覚しているということであった。

　なお，大空小には特別支援学級はなく，障害のある子どももすべてが普通学級で学んでいて，インクルーシブ教育を実践している。まだ解決すべき課題も少なくないが，その課題を解決しながら大空小の実践は深化しているのである[20]。

3)　宮崎隆太郎の実践

　第3の実践は，大阪の枚方市で早くから統合教育（今のインクルーシブ教育）にとり組んだ宮崎隆太郎の実践である。宮崎は多くの実践記録を残しているが，そこには彼が出会ってきた子どもや親や同僚が登場する。私は何回か宮崎の実践を拝見したが，子どもたちは授業中ワクワク，ドキドキ，学ぶことの醍醐味

を味わい真剣に学んでいたのを思い出す。ここでは，本稿との関係から，「障害のある子なりの思い」と「主体的に生きる」を一部紹介する。前者には，文字通り障害児としてでなく，一人のＡさん，一人のＢさんの事例が報告されている。子どもが育ってきて，できること，分かることが増えると，先生はその子とつき合いにくくなってくる時期がくる。しかし，それは決っして「発達が逆戻りしたのでも，おかしくなったのでもない。成長のひとつの姿なのである」という。それを先生は誤解しがちだというレポートである。

また，「主体的に生きる」には親子関係の事例が紹介されている。「『障害児』を持つ親は，『わが子のことはわたしがいちばんよく理解している』『いつもわが子の立場に立ってものを考えている』と思っている。周囲の人間も親とはそういうものだと信じている。ところがどっこい，そうとばかりは言えませんよ，という話をしてみましょう」という事例が紹介されている。

今度中学校に進学するサトルの母親は，中学校に前もって挨拶に行くという。「手のかかる大変な子なの，いろいろご迷惑をおかけすると思いますが，よろしくお願いします，とでも言おうかしら」と言ったので，宮崎さんは，「子どもの側からものを見るとどうなるのだろうと考えてみた」というのである。「先生，そんなにたいそうに考えないで下さい」というお母さんに，宮崎は「子どもにすれば嫌な気がするだろうね」と語りかけたという事例である。徹底的に本人の立場を大切に実践してきたその厳しさが伝わってくる話である[21]。

ぜひ宮崎の実践記録を読んでいただきたい。そこには本人のニーズに応じた，本人と宮崎さんとまわりの子どもたち一人ひとりが主体としてぶつかり合う実践が生々しく展開されている。

3 インクルーシブ保育の実践上の課題

インクルーシブ保育の実践上の課題は，真に子ども主体の保育への転換を試みることである。

インクルーシブ保育とは，インクルージョンを目指す保育である。インクルージョンとは何か，再確認しておきたい。それは，これからの社会を創っていくための理念である。本人主義の立場で，他者と共に，多様性を尊重する社会（つ

まり民主主義の社会）を創り出していくことである。

　乳幼児の保育を念頭に言えば，障害のあるなしにかかわらず，目の前の世界に一人しかいない＜この子＞のしたいことに気づき，それを新鮮な目で見守ることである。そして，保育者自身も＜この私＞のしたいことを目の前の＜この子＞と共に挑戦することである。

　こども園や保育所や幼稚園でよく見かける場面がある。子どもたちがまだ楽しそうに遊んでいるそのときに，保育者は急にさりげなく，手遊びを始める。子どもたちは，それを無視できないので自分の遊びをやめて手遊びを始める。このクラスのルールが守られたかのように自由遊びの場面が保育場面に変わるのである。これを見て違和感を持つのは私だけであろうか。「子ども主体の保育」から「保育者主体の保育」に切り替わった瞬間なのであるが，私は残念に思う。保育者主体の保育に気づき，それを問い直すことが課題となるのである。

　俳人でもある，障害のある当事者の花田は，「当事者には当事者の都合」と題して次のように書いた。

　　医者であれ，教師であれ，親であれ，第三者が，当事者の生活なり思考なりに関心を持ち，想定するのは悪いことではない。だが，「こうだろう」が「こうなのだ」となり，「こうあるべきではないか」「こうなくてはならない」となっては困るのだ[22]。

　また，松友は知的障害者の親の立場から「これからの障害者観，本人主義」について次のように書いている。

　　これまで障害者の歴史は「受け身の歴史だった」とし，「世界の障害者施策に大きな影響を与えたのは，米国の重度身体障害者によって始められた自立生活運動（Independent Living, 通称 IL 運動）である。この運動の特徴は，従来のリハビリテーション概念と法に疑問と異議を呈したことであり，それゆえ新しい『自立』概念を生み出した。すなわち＜欠陥＞として＜治療＞することの限界の提示であり，社会モデルからの理解の重要性，すなわち＜ニーズ＞として＜援助＞することによる社会参加の可能性の提起と実践・実現で

あった。それは，彼／彼女らが，当時のリハビリテーションの概念や法の対象から除外された，重度の障害者であったからである」と[23]。

松友はこのように書き，権利としての＜ニーズ＞に対する社会の側の責務として＜援助＞の必要性について書いたのである。

また，先にも紹介した東田直樹は，自閉症のある人として生きてきて，次のような自分の思いを堂々と謳っている。

10 言葉を自由に使えないことをどう思いますか？

　人は，言葉を自由に使えるからといって，心の中を全て語ることはできません。みんなは，もう忘れているだけではないでしょうか。例えば，原始人は，おたけびにはおたけびで答えていたと思います。それで心は通じていたし満足だったのです。自閉症の人の中には，あいまいな表現や難しい言葉がわからない人もいるかも知れませんが，言葉を楽しむ感覚は持っていると思います。『ウワワワワー』『ハへー』というようなおたけびは，僕もよく出ます。

　本当の僕は，何の制約を受けることもなく，時間という枠を超え，ただひたすら声の限りに叫び，大地を駆けていたいのです。あるいは，音も言葉もない静寂な水の中で，じっと息を殺し，永遠に続く宇宙の鼓動を感じ続けていたいのです。

　なぜ，僕が原始人のような性質を持ったまま生まれたのかはわかりませんが，原始人の見ていた世界を僕は体感していると思います。僕は，原始人が現代人より劣っているとは思っていません。現代人がなくしてしまった原始人の素質を僕が受け継いでいると考えれば，少し楽しい気分になります[24]。

これを読むと，自分の中に強い欲求をもって生きているのが感じられます。東田さんを紹介したドキュメンタリーの中で，東田さんが発した叫びを思い出しながら，東田さんの内的世界が伝わってくるような気がするのである。

おわりに
2016年7月26日，神奈川県の相模原市にある津久井やまゆり園で悲しい事

件が起きた。19 人もの障害者が殺されたのである。犯人は重度の障害者は生きている価値がないと考えて殺したという。なんということか。

　私には 40 年来の友人の M さん（知的障害，自閉症と診断されている）がいる。そのお姉さんがコラムに書いていた。家族は弟 M さんのことで親戚や世間からひどい差別を受けてきた。両親と姉の三人共，もう心身共に疲れはてた。一家心中をしよう，と M さんをはずして話し合ったという。

　そんなとき，M さんはそれを察したのか，「僕はおじいさんになって自然に死ぬまで生きていたい」とつぶやいたというのである。この言葉で家族は目が醒めたという。本人抜きに命までも奪ってしまうところだったと反省したという。当然のことであるが，本人は自分の行く末についても自分で判断をしていたのである。

　家族は，本人の意思を＜理解しようとしてこなかった＞のである。ましてや家族以外の人はどうであったのか。さらに，それでは保育者や教員はどうであったのかと厳しく問われるということになる。

注

（注1）　引用文献（1）は，障害者権利条約の条文がどのような経緯でできたかその経緯をくわしく考察している。

（注2）　本稿は引用文献（2）の訳を採用。

引用文献

（1）　長瀬修・東俊裕・川島聡（編）（2008）．障害者の権利条約と日本，生活書院 .137-138

（2）　嶺井正也（1998）．共育への道：「サラマンカ宣言」を読む．アドバンテージサーバー．

（3）　同上 ,190-191

（4）　有松玲（2013），ニーズ教育（特別支援教育）の"限界"とインクルーシブ教育の"曖昧"—障害児教育政策の現状と課題—，立命館人間科学研究．28.41-54

（5）　東俊裕（2008）．障害者権利条約は「障害児教育」にどのように生かされるべきか．はらっぱ 288.24

（6）　同上，83.24-25

(7) 肥後祥治（2003）. 地域に根ざしたリハビリテーション（CBR）からの日本の教育への示唆. 特殊教育学研究, 41（3）. 345-355

(8) 堀智晴（2004）保育実践研究の方法：障害のある子どもの保育に学ぶ. 川島書店. 99-125

(9) 名倉啓太郎（1995）幼児の発達の理解と保育内容の基本的諸問題―ハンディをもつ子と共に育ち合う保育において―. 保育学研究. 33（1）. 68-73

(10) 豊中市民生部児童福祉室（1985）. 共に育ち合う保育―十年のあゆみ―. 1-94

(11) 高槻市（1988）. 高槻市における障害児保育 10 年のあゆみ. 1-98

(12) 望月彰（2016）学童保育, 障害児保育, 子育て支援事業. 日本保育学会（編）. 保育学講座 2. 保育を支えるしくみ：制度と行政. 東京大学出版会. 98-105

(13) 内閣府・文部科学省・厚生労働省（2015）幼保連携型認定こども園教育・保育要領解説. フレーベル館. 51-52

(14) 民秋言（1988）.「保育ニーズ」についての検討. 保育研究, 9（1）. 建帛社. 72-79

(15) 前掲（13）. 51-52

(16) 七木田敦（2016）. 特別な配慮を要する子ども. 日本保育学会（編）. 保育学講座 3 保育のいとなみ：子ども理解と内容・方法. 東京大学出版会. 43-59

(17) 東田直樹（2007） 自閉症の僕が跳びはねる理由―会話のできない中学生がつづる内なる心. エスコアール. 38

(18) 柴崎正行（2009）. 特別な支援を必要とする乳幼児の保育に関する最近の動向. 保育学研究, 47（1）. 82-92

(19) 津守真（1988）. 愛育養護学校の教育. 発達, 36（4）. 2

(20) 小国喜弘・木村泰子・江口怜・高橋沙希・二見総一郎（2015）. インクルーシブ教育における実践的思想とその技法―大阪市立大空小学校の教育実践を手がかりとして―. 東京大学大学院教育学研究科紀要, 55.3-7

(21) 宮崎隆太郎（1986）. 障害児の異議申し立て：人と人とのつながりを求めて. 三一書房. 91-210

(22) 花田春兆（1998）. 当事者には当事者の都合, 教育と医学, 46（121.2）

(23) 松友了（1998）. これからの障害者観―本人中心主義―. 同上. 9-10

(24) 東田直樹（2010.）続・自閉症の僕が跳びはねる理由：会話できない高校生がたどる心の軌跡. エスコアール. 29-30

第4章　障がい児保育の歴史と子ども理解
―世界に一人しかいない＜この子＞の保育―

はじめに

　私は 1974 年に大阪市立大学に就職し，障害児の保育・教育を担当することになりました。できるだけ保育・教育現場で実践に触れるようにして学んできました。そこで学んだことは私なりの実践研究体験になり，そこを基点として研究を進めてきました。

　本稿では，40 年近くのこの実践研究のなかで考えたことを，障害児保育の歴史にふれた上で，自分の研究の特色と考える「子ども理解」について焦点を絞りまとめました。それは，「障害児をどのように見るか」という視点ですが，現時点での私なりの結論は，障害があっても目の前の子どもを，「世界に一人しかいない＜この子＞」という視点で理解を深めることが，保育実践にも実践研究にも重要だと考えるからです。

　ここでは，元原稿に従って「障害児」としています。

1　障害児保育の始まりと発展

　障害児保育が始まったのは，1970 年代の中頃からです。大阪の八尾市では保護者が保育所入所を要求して市役所前に座り込みをしてマスコミに取り上げられました。八尾市では，市長が児童福祉審議会に「障害児対策」について諮問し，同審議会は，障害児保育に関する中間答申を昭和 50（1975）年 3 月，市長に行いました。そこでは，「心身に障害をもつ児童こそ適切な環境が必要であり，もっとも保育に欠ける状況にあることを認識し，積極的に措置すべきことは明らかである」としました。これを受けて八尾市は，同年 4 月，保育所における障害児保育の第 1 歩をふみ出すことになったのです。同時に審議会は，障害児の保育所への受け入れとともに，「今，必要なことは何か」という立場で，保育現場への助言，指導を行うとともに，保護者の相談に応じるため障害児保

育専門委員会の設置をするように市長に答申しました。[1]

　八尾市における当時の障害児保育の実践の状況が記録に残っています。次の報告は，八尾市障害児保育検討委員会（後に障害児保育審議会）の昭和50（1975）年度の報告です。

　「昭和50（1975）年4月，本市では障害児の父母が，保育所への障害児の入所を強硬に要求し，マスコミをにぎわすという事態の中で障害児保育がはじまった。それ以前にも，いわゆる親側の条件から保育に欠ける児童として入所した障害児の保育は行ってきたが，それは軽度の発達遅滞児，軽度の身体障害児等で，まわりとの意思疎通が十分できる子どもがほとんどであった。

　しかし，この年入所した子ども達は，言葉がまだ出ない，全盲，意思疎通が困難，同じ事ばかりしている，動きまわる等々保育者にとって，まったくはじめての経験であった。そして，予期しない場面に直面し，障害児受け入れの保育現場の姿勢が育たないまま　受け身での障害児保育の出発であった。

　保母は担当した子どもの障害がわからない，行動の意味が全くわからない，とにかく，その子が何をするかを知ることが精一杯，何をすべきなのか見通しなど持てる状態ではなかった。

　従来の保育経験からして，どうすれば集団に入れるだろうか，早く身辺の自立をさせなくてはといったことのみに目が奪われ発達がみえにくいとこからくる焦り，そして，保育への自信喪失が顕著にあらわれたのである。

　さらに，はじめての経験からして，障害児保育が全職員の課題となりにくい，まわりの適切な援助や理解が得られないこと，そして，障害児を理解することや，障害児の保育がまだわからないことからくる父母との意見のくいちがいや対応のむつかしさ，こうした問題をかかえて，まさに，試行錯誤と葛藤の1年間であった。

　しかし，こういった中でも専門委員会の助言，指導，保育の交流，研究会，研修会等を通して，子ども一人ひとりの状態をよく見つめきめ細かな保育をすること，ゆっくりではあるが子どもが確実に発達していること，保母はあせらずに保育することを，この1年間の実践の中から学んだのである。」

そして，次の昭和51（1976）年度の報告には次のような一文がありました。

「障害児保育初年度の教訓をふまえた上での2年目の保育実践は，自分たちが保育全般がこれでよいのだろうかと考える機会を与えられたこと，障害児保育の効果があがってきていることを通して，障害児保育は必要であるという前向きの意識に変わってきたのである。」

このような記録を読むと保育者が戸惑いながらも試行錯誤しながら実践にとり組んでいる様子が伝わってきます。そして，その実践の反省をもとに次へのとり組みへとつながっているのがよく分かります。

これと同じようなことが私が実践研究に参加した大阪の堺市においてもおこりました。親からの強い要求を受けて堺市でも障害児保育に取り組むことになりました。堺市では研究指定園制度をつくり現場での実践研究を行うことになり，私もその一員として参加しました。⁽²⁾

このようなとりくみは大阪では，大阪市，箕面市，豊中市，高槻市で始まりました。そして同じようなとり組みが全国的にも広がっていきました。^(注1)

ところで，各地での障害児保育の発展を見ると，実践は次のような展開をしてきたと考えられます。

①障害のある子どもを受け入れる。

②障害のある子どもの保育に追われる。

③これまでの保育の問い直しをすることになる。

④子ども同士の「育ち合いを育てる」保育の大切さに気づく。

⑤個の育ち，仲間関係の育ち，仲間集団の形成，保育環境の整備の4つが保育実践の課題となってきて，このとりくみを組織的に行う必要が出てくる。

⑥保育から教育へ，そして地域で生きることにつながる長い取り組みが必要になる。

2　障害児教育の歴史的枠組み

障害児保育・教育の実践を拝見しながら考えてくる中で，私は障害児教育の歴史的変遷について，その枠組みを次のように整理しています。

Exclusion （排除） （エクスクルージョン）	→	Segregation （分離教育） （セグレゲーション）	→	Integration （統合教育） （インテグレーション）	→	Inclusion （インクルーシブ教育） （インクルージョン）

〈教育の呼称〉	〈学習形態〉	〈子どもの呼称〉	〈主たる目的〉
①教育以前	排除	？？？？？	隔離・放置・抹殺
↓			
②特殊教育	別学	ダウン症の子	治療，訓練が中心
↓			
③発達教育	交流	5歳の発達段階の子	発達の促進が中心
↓			
④特別支援教育	通級	特別なニーズの子	個的自立支援が中心
↓			
⑤統合教育	統合	一人の子ども	権利の保障が中心
↓			
⑥インクルーシブ教育	共生	知行さん	社会的自立支援が中心

社会的自立とは，次の二つのことができるようになることです。

　①自分にできることは自分でする。

　②自分にできないことは助けてもらう。

　そして，社会的自立とは，経験を重ねながら，子どもは①と②の兼ね合いを自分なりに身につけていく過程と言えます。

　②の特殊教育では，障害児は医学的診断にもとづいて障害別に分類され，同じ種類の障害児を集めて健常児から分離し，主として治療や訓練が行われてきたといってよいでしょう。このような特殊教育は子どもの居住地から遠隔の地にある特殊学校（養護学校）において行われてきました。この段階ではたとえば盲児，ろう児，情緒障害児，ダウン症児，てんかん児，脳性マヒ児などと障害名で分類されます。つまり障害によってラベリングされるのです。

　③の発達教育の段階では，発達心理学の研究成果が適用され，子どもの発達段階が細かく発達診断されました。その診断に基づいてどのクラスや学校が適切かが科学的（狭義の意味）に決められてきました。生活年齢と発達年齢から発達指数が割り出されそれに見合った発達促進という指導が行われてきました。子どもは「まだ一歳半の発達の壁を越えていない子」というように発達年齢で呼ばれました。ここでは発達（段階）から子どもを理解するのです。

　④特別支援教育は，2007年度から始まりました。子どもの一人ひとりの教育的ニーズを把握して，その持てる力を高め，生活や学習上の困難を改善又は

克服するために，適切な教育や指導を通じて必要な支援を行うとされています。
将来の自立と社会参加をめざしているのですが，個人としての自立が先に求め
られています。専門性が強調される結果となっています。

　⑤の統合教育の段階では，障害児と健常児という二分法を前提とした上で，
人権を尊重するために統合が行われます。障害児も一人の子どもとして健常児
たちと学ぶ権利があると認められたのです。しかし，条件が整備されない中で，
理念が先行して実態としては逆に人権が保障されない場合もありました。

　⑥のインクルーシブ教育の段階では，子どもを子ども一般としてとらえるの
ではなく，一人ひとり独立した人格を持つ個人としてみなします。それゆえ子
どももたとえば「知行さん」と固有名詞で呼ばれます。ここではこの知行さん
の生き方が尊重され，その生き方を支援するような働きかけを教育と考えます。
そして子どもは「世界に一人しかいない＜この子＞」として理解されるのです。
ここでは，どの子もその子なりの個性を発揮しながら育ち合える関係づくりが
教育として重視されます。私はこの段階の教育を子ども同士の「育ち合いを育
てる」教育と表現しています。言い換えると共生共学です。

　この枠組みは教育についてのものですが，就学前の子どもの保育においても，
「子どもの呼称」と「主たる目的」とが相互に関連していると思います。つまり，
子どもをどうとらえているかによって保育の目的，内容，方法も決まってくる
のです。

　なお，インクルーシブ教育という概念が用いられるまでは，統合教育が「共
に学ぶ教育」と考えられていましたが，今では両者のちがいを明確にするため
に，統合教育は＜健常者に合わせて統合する教育＞とみなし，インクルーシブ
教育は＜一人ひとりのちがいを尊重し多様性を認め合う教育＞をその特色とす
ると考えられています。

　この歴史的枠組みは，大きな流れと考えていいと思います。実際の教育現場
では，このような教育が並行し混在しているといえるのではないでしょうか。
つまり，ある学校に行けば，現時点では特別支援教育になっているはずですが，
実際は特殊教育と変わらない実践が行われていることもあります。また，イン
クルーシブ教育が取り組まれている現場もあります。もちろん，学校単位では
なく先生の取り組み次第で，学校は特別支援教育であるが，ある先生はインク

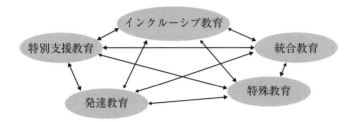

ルーシブ教育に取り組んでおられたということもありました。

　そして，このような実践は容易に別の教育へと移行します。

3　私の保育実践研究と考え方の転回

　私は現場での実践研究を続けてきて，自分の考え方が大きく変えられてきました。それは変化と言うよりも転回（Conversion）といった方がいいと思います。

　私の三つの転回について簡単に書きます。

(1)　障害観の転回

研究する中で，障害に対する考え方が変えられてきました。

　　①障害≠不幸，障害者差別⇒不幸

　　↓↓

　　②障害＝個性，特徴

　私にとって大きな意識変革の一つは，障害に対する考え方の転換でした。それは障害イコール不幸なのではない，ということが分かってきたことでした。「障害があることは不幸だ」という考え方は誤りであったのです。この考え方はなかなか健常者には受け入れがたいものでしょう。障害者問題の講義の中で，障害について話し合いをしましたが，「どうしても障害はない方がいい，障害があればそれだけ不自由になり自分の幸せを妨げるものだ」という意見が出ました。この意見はまだまだ現実には影響力を持っています。「障害はない方が

いいんだ」という考え方は，障害のある人は困っているだろう，不便だろう，障害者は大変だろう，障害者はかわいそうだ，障害者に生まれない方がいい，障害者にならない方がいい，障害者はいない方がいい，という考え方につながっていくのです。

　しかし，そう考えなくてもいいのではないでしょうか。障害があること自体は決して不幸ではないのです。障害があると不幸だと考えられてきたのは，障害を理由に障害者が差別される現実があるからです。私はこういうことが少しずつ分かってきました。特に障害のある人に接する中で気づいてきたのです。障害を理由に仲間に入れてくれなかったり，障害を理由に見下したりされるから不幸に見えるのです。

　障害児のある子の父親は次のようなことを書いています。

　　「障害をもっているから『かわいそう』でも『不幸』でもないんだと思うね。障害をもっているということだけで，好奇な目で見られたり，特別扱いされたり，仲間にいれてもらえなかったりした場合に不幸なんであって，障害それ自体が不幸の始まりではないよ。」

　このように障害があること自体が不幸なのではないとわが子との生活を通して気づいたこととして明確に述べているのでした。障害はあってもいいのです。障害があっても堂々と生きていけるような世の中であればいいのです。障害を理由に差別されるから不幸になるのです。

　また，障害児の父親である友人の徳田茂さんは次のように書いています。

　　「私には，七年近い知行との暮らしの中で，確信できるようになっていることがあります。それは，知行がダウン症だということによって不幸なのではない。『障害児は不幸だ』といった感じ方しかできない人間たちの大勢いる社会で生きていかなければならないから不幸なのだ，ということです。」[3]

　つまり，障害者の問題は実は障害者個人だけの問題ではないのです。むしろ障害者を取りまく健常者の問題だと考えた方がいいのです。健常者が多数を占めている今の社会のあり方の問題だと考えられるのです。「障害（Disability）を理由に差別してはいけない」，このことは，1994 年に日本で批准された「子

どもの権利条約」の第2条でも明記されたことです。

　なお，イタリアでは，障害を「もう一つの能力」と見なす考え方もあるようです。^(注2)

(2)　障害児観の転回

　障害児観についても転回がありました。例えば，知的障害児の場合，次のようになります。

①精神薄弱児（feeble minded），精神的欠陥児（mental deficiency）
　　↓↓
②知的障害児（intellectually disabled child）
　　↓↓
③一人の子ども，知的障害はあるが（a child with intellectual disabilities ）
　　↓↓
④一人の子ども，特別な教育的ニーズを持つ（a child with special educational needs）
　　↓↓
⑤一人の子ども，自分なりのニーズを持つ（a child with individual needs）
　　↓↓
⑥Aさん，Aさんなりのニーズを持つ（ A with A's needs ）
　Bさん，Bさんなりのニーズを持つ（ B with B's needs ）

　精神薄弱児という言葉は，1950年代から使われていましたが，1998年に法改正があり「知的障害」に変わりました。①と②の見方は，障害から子どもを見る見方です。それに対して，③は障害があってもまず一人の子どもとしてみる見方です。障害の種類によって異なるのですが，障害がその子どもを決定づけているわけではないと考えるのです。それに対して，「障害＝できないこと」と見るのではなく，「こちらに要求をしている」と見なして「ニーズを持っている子ども」とみる見方が④になります。このように子どもはニーズを持っている存在なので，子どもに関わる人はそのニーズにどう応えるかが問われることになります。今の特別支援教育では，この考え方に立っているはずなのです

が，実際は目の前の子ども自身のニーズをとらえているかはなはだ疑問です。

　このような見方に対して，⑥は障害児観を脱して，一人の＜この子＞として
とらえる見方になると考えます。私はこの考え方をします。だから，「世界に
一人しかいない＜この子＞」と自覚して子どもを理解しようとするのです。

(3)　自立観の転回

　自立観についても転回がありました。

　保育・教育の目的として，子どもの自立が考えられることがよくあります。
障害児の場合，歴史的には目的として自立がめざされてきたのですが，自立観
の見直しが行われるようになりました。それは，次のような三つの自立観です。

　①身辺自立＝日常生活習慣の自立
　②自活＝経済的自立
　③自己決定＝自分の人生を自分で決めること

　現在では，③の自立観がもっとも重要だと考えられるようになりました。自
分の身のまわりのことが自分でできなくても，自分の人生を自分で選択し自分
で決定して生きていけばいいのだという考え方です。仮に24時間介護が必要
であっても，自分のことを自分で決めていくことを尊重し，その自己決定をし
ている人は自立して生きていると考えるのです。

　また必ずしも経済的に自立できなくても自己決定をしていることを尊重して
自立していると考えるのです。現在のように重度の障害者には就労する機会が
ないような状況では，働いて経済的に自立しようとしても自活できません。そ
れゆえ各種の年金などにより生活することで自立を図ればよいと考える考え方
です。

　歴史的には，長い間①の身辺自立の自立観が強調されてきました。私が大阪
に就職した1970代はまだ保育も教育も，そのめざすところはこの身辺自立で
した。その中で比較的軽度の障害者は可能な限り働いて自活できるように職業
訓練がなされてきました。また，長い間，障害者は③の自己決定は無理だと考
えられ，本人の意思はほとんど考慮されることがなかったと言ってもいいで
しょう。障害者自身も自己主張する機会が与えられない中で自分でも自己決定

ができないと思い込まされてきたのでした。

　長い間，そして日本では今日においてもなお，親や専門家が障害者の生活の場と生活の在り様を決めていると言ってもいいのではないでしょうか。親の老齢化や親亡き後のことを考えて早くから本人の意思を確認することなく施設生活が準備されてきたのです。

　1981年の国際障害者年を契機として，ようやく障害者も一人の市民として，他の市民と同様に地域社会の中で生活することが当然だと考えられるようになってきました。ノーマライゼーションとインクルージョンの運動が広がってきているという経過をたどってきて現在があるということです。

　もちろん，③の自立観が重視されるようになっているとはいえ，けっして②と③の自立が必要でないというわけではないでしょう。自分のできる範囲で身のまわりのことは自分ですればよいし，障害者も働く場があれば働きたいと考えています。忘れてならないことは，①と②が前提となって障害者の生活を他者が決める，つまり障害児・者本人の自己決定を奪うことがないようにしなければならないということです。

　治療や訓練や発達促進が必要でない，というのではありません。治療や訓練，発達促進もあくまでも本人が幸せになるために活かされなければならないということです。あくまでも本人が自分の幸せを決める権利があるのです。

　ところで，自己決定を自立と考えるこのような自立観は，なにも障害者にだけ当てはまる問題なのではありません。障害者であれ，健常児であれ自分の人生は自分で決めたいと考えていると思います。むしろ日本の場合は，日本の伝統と文化の中で，日本人の一人ひとりが自分の意見を表明せず自分の考えを持つことよりも，まわりに同調する姿勢を優先してきた結果として，日本人は先のような意味でより一層自己決定を軽視してきたのではないでしょうか。その結果，社会的自立が遅れるということになっています。

　私の限られた経験では，これまであからさまに自己決定の機会が奪われてきた障害者の方が，一つの契機を経験して，かえって自覚的に自己主張，自己決定をしつつ生きようとしていると言えるように感じます。

　このような状況を考えれば子どもの一人ひとりが自分の考えを持ち自分の生き方を確立していくことを保育・教育の目的とすることが必要だと私は考えま

す。

4　保育実践研究の4つの視点

　現場での実践研究を重ねてきて，私は，保育実践研究の方法の枠組みを考えるようになりました。事例研究も同じです。保育実践研究は少なくとも4つの視点から再検討する必要があります。この再検討を通して，自分の実践を振り返り，新たな実践を創り出していくことになります。このことについては第2章の3.インクルーシブ保育を創る4つの視点で書いたのでこれを参照して下さい。

5　「子ども理解」から「＜この子＞理解」へ

(1)　「ダウン症児一般」でなく「知行は知行」

　私は障害児保育・教育の実践研究をする中で，何よりも痛切に感じてきたことは，「子どもは一人ひとりちがう」ということでした。そして「障害児」といわれる子どもは一人ひとりが実にユニークでした。

　「障害児」と一くくりにしてしまうと，つぎの手だて，つまり，＜この子＞へのはたらきかけが型にはまったものになってしまいます。そして，今自分の目の前にいる＜この子＞に即したはたらきかけができなくなってしまいます。残念ながらそのような実践がほとんどなのです。もっと＜この子＞に即した保育を追究してほしいとずっと考えてきました。なぜ，目の前の子どもを見ようとしないのか，目の前の子どもを感じようとしないのか。それは子どもを一人ひとり異なる存在と見ていないからだと考えるようになりました。

　たとえば子どもを「ダウン症の子ども」と見なしてそれで解ったつもりになると目の前にいる＜この子＞自身の生きた姿が見えなくなるのです。徳田茂さんは長男の知行さんがダウン症ですが，次のように書いています。

　　「知行には知行のペースがある。私に私のペースがあるように。知行には
　　知行の感じ方がある。私に私の感じ方があるように。そして，知行のペース

とか感じ方とかは，『障害』児だから，というくくり方をしてもわかるものでは，決してない。ダウン症児の特徴を記した本を何十回読んでもわかるものではない。本を読めば，『ダウン症児一般』についての知識は確かに増すであろう。しかし，知行は『ダウン症児一般』ではない。知行は，知行なのだ。」(3)

　私は何度この文章を読み味わったことでしょう。

　「知行は知行なのです」という言葉には，徳田さんの子ども観があらわれています。就学前の重度の障害児の通園施設「ひまわり教室」で，徳田さんが子どもたちの一人ひとりにどの様にかかわってきたのかも想像されます。＜この子＞のペースと感じ方に応じたかかわりをとことんされているのを今でも金沢で見ることができます。

　たしかにダウン症について一般的な理解をする必要が全くないというわけではないでしょう。しかし，保育や教育の実践にとって重要なことは，そのように一般的にはとらえられない「＜この子＞なりのもの」を感じとり，「世界に一人しかいない＜この子＞」を理解することだと私は考えます。

　もちろん人間が人間を理解しようとするのですから完全に理解しきれるということはありません。理解できたと思い込むような落とし穴に落ちないよういつも心する必要があります。しかし，人間が人間を理解しきることはできないからこそ，あくまでも目の前の生きている＜この子＞の真の姿に少しでも近づくという努力が欠かせないと思うのです。この努力をしないということは，実在の生きた目の前の＜この子＞を「障害児一般」の枠からみることになり，＜この子＞独自のすがたを見ないということになってしまいます。そしてこのことは同時に「この私」という自分なりの見方をも放棄してしまっていることにもなるのではないでしょうか。

　「障害児一般」としてみるのではなく，「自分の目の前にいる生きた＜この子＞」とみるということは，わかりやすく言えば，「徳田知行」という固有名詞をもつ「世界に一人しかいない＜この子＞」としてみるということです。このように考えてくると，目の前の＜この子＞をみるということは，同時に＜この私＞がみるということだと気づくのです。そして＜この子＞と＜この私＞と

が「共に生きる」関係としてあるということなのです。

(2)　＜この子＞と特定し理解を深める

　私は保育実践研究と平行して，小学校での授業研究をすすめてきました。私が参加している研究会では授業を録音しそれを記録にして資料として，丹念に検討し考察します。子どもについても，Ｔ＝教師，Ｃ＝子ども，と安易に一般化せず，子どもの発言を一人ひとりその子の名前を特定して分析していきます。同じ子どもの発言をつなぎ，その子のノートや日ごろの教師のメモを活用して，その子の学びのプロセスを追いかけながら学びの深まりを読み取ろうとするのです。子どもを「このクラスの子ども」とか，「3年生の子ども」とか「現代の小学生」などと一括りにして論じるのでなく固有名詞で特定しながら考察していくのです。

　この会の主要なメンバーである長岡文雄は，このように特定できる子どものことを＜この子＞と表現しました。長い間小学校で文字通り一人ひとりの子どもたちを大切に育ててきた長岡ならではの表現です。私は長岡のこの考えに習って保育実践の研究においても，＜この子＞として一人ひとりの子どもをその子に即して理解して実践することが大事だと考えるようになりました。

　長岡は「＜この子＞の拓く学習法」（黎明書房）という著作の中で，最近教育現場ではどこでもよく教育目標として「一人ひとりを大切にする」とか「一人ひとりを生かす」ということばがスローガンとして用いられることが多くなってきたけれども，これはことばに酔ってしまい，それで実践が実現したかのような錯覚に陥っていないか，と指摘して次のように書いています。

　　教育現場では，本当に「一人ひとり」が大事にされているだろうか。「何となく」の「一人ひとり」ではないだろうか。「＜この子＞のための授業」という，授業の構えが見られるだろうか。眼前にいる，具体的な子どもの生き方に立ち入ろうとしているだろうか。

　　私は「一人ひとり」「その子その子」ということばに，あきたらない。第三者的にひびく。教師としての愛情や責任がわいてこない。それで，私は，＜この子＞と呼ぶことにした。＜この子＞は，教室で眼前に座る，具体的な

名まえを持つA男，B子である。授業中「この授業は，A男にとってどういう意味が生じているかな」と心を使う対象である。はっきりと正面に据えて指そうとする＜この子＞である。

　私は，校門をくぐって登校する子どもを指さし，「この子にとって，きょうの学校とは何か」と問うことにしている。また，下校する子どもを，一人ずつ指さし，その子の内面にあるものを想ってみる。「どんな話題をもって家路につくか，足どりはどうか，きょうの学校は，彼にとって，どういう意味をもつものであったのだろう」と考えてみる。⁽⁴⁾

　この文章を読むと，一人の子どもをその子に即して徹底的にみていこうとする実践家としての厳しさが伝わってきます。ここには子どもを「子どもたちの中の一人」としてみるのではなくあくまでも＜この子＞と特定してみていこうとする長岡の教師としての基本的姿勢がみられます。

　長岡の本を読むと，＜この子＞のすがたが具体的に書かれています。先にあげた本には，T君の一年生から六年生までの6年間の作文や先生のメモをもとに，長岡の人間観によってT君が一人の生きた人間として描き出されています。＜この子＞が時によりこれまでの＜この子＞と一見矛盾するような姿をみせるときがある。（これは子どもが成長変化しているのだから当然のことだが）そのとき，もう一度＜この子＞はどういう子どもとして自分はみてきたのだろうか，と考え直すのである。そして，これまでの＜この子＞理解を見直し，新たな＜この子＞理解を試みようとするのです。

　私がこのように書くと，保育者や教師の多くは，何十人もの子どものクラス担任をしながらはたしてそのようなことができるのだろうかという意見が出てきます。保育所や小学校に行くとよくこのような意見を聞きます。また，その子以外の子どもはどうなっているのか。＜この子＞は考慮されているからいいけれどその他の子は放置されているのではないか，このような疑問が出てくるのです。

　しかし，長岡の考えは明快です。一人の子どもを徹底的に追いかけていくと，この子との関わりでまわりの子どもの姿がかえってよく見えてくるというのです。＜この子＞にかかわって別の＜この子＞が見えてくるのです。しかもより

具体的にです。長岡の先の本にも，＜この子＞のＴ君とともに，「Ｔ君と学び合う仲間」としてＳ君とＹ君，Ｇ君が登場します。一人の子どもをていねいに追いかけ，その子どもの真の姿に迫ろうとしないで一体他の何が見えてくるというのでしょうか。おそらくそこで見えてくるのは，のっぺらぼうな一般的な子どもなのではないでしょうか。

　一人の子どもを＜この子＞として深く理解しようとしないところでは，子どもの理解は「一般的な子ども」の理解にとどまったままになってしまいます。このように考えてくると，「子ども理解」は「＜この子＞理解」へと深められる必要があると考えます。

（3）　普遍性，個別性，一般性，専門性を参考にする

　次の図を見て下さい。これは子どもを見る視点を整理したものです。

　堀は，個別性の優位を強調したいと考えて本稿を書いていますが，そう簡単に納得はできないというのが本稿を読まれた人の感想ではないかと思います。私もこれからも考え続けていく必要があります。

　私は，この図の③の見方で，保育・教育実践を考えるのが重要だと考えます。しかし，他の見方，考え方，①も②も④も⑤の視点からも子ども理解を深めていくことも必要だと思います。それぞれの視点からアプローチする専門家もいるのですから，その人たちの知見を参考にすることも必要でしょう。

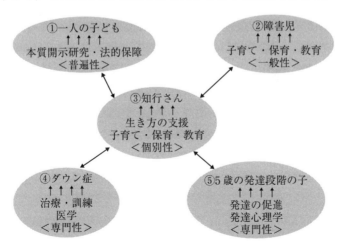

6 世界に一人しかいない＜この子＞の保育実践の創造

(1) 「かけがえのない個人」として

2011年に改正された障害者基本法第1条（目的）には下記に見るように，「かけがえのない個人」という言葉で表現されています。その言葉の前段に，「障害の有無にかかわらず」とも書かれています。つまり，かけがえのないという考え方は，障害のあるなしに影響されないのです。

次のように書かれています。

1. 第一章　総則
（目的）第1条

　　この法律は，全ての国民が，障害の有無にかかわらず，等しく基本的人権を享有するかけがえのない個人として尊重されるものであるとの理念にのっとり，全ての国民が，障害の有無によつて分け隔てられることなく，相互に人格と個性を尊重し合いながら共生する社会を実現するため，障害者の自立及び社会参加の支援等のための施策に関し，基本原則を定め，及び国，地方公共団体等の責務を明らかにするとともに，障害者の自立及び社会参加の支援等のための施策の基本となる事項を定めること等により，障害者の自立及び社会参加の支援等のための施策を総合的かつ計画的に推進することを目的とする。[5]

(2) 同じ"生活者"として共に生きる

豊中市では，長い間障害児保育が制度化された時から，名倉啓太郎が専門的な立場から指導・助言を行ってきました。名倉は，障害児保育の問題は，「従来の健康児中心の保育のあり方が基本的に問い直され，真の人間教育としての新しい保育の姿への変革が期待されていることをあらわしている。」と述べて，「1人1人の子どもを大切にする保育が基本であることが認識され始めてきた。『保育の原点』として，従来の乳幼児保育の根本的な見直しと共に，正当な位置が与えられるようになりつつあるのが現状であるといえよう」と指摘しました。

そして，それまでは障害児は正式に認知されない状態で，「日陰者の保育」

でしかなかったのでした。また，「障害児」として特別の保育施設で，彼らだ
けの保育者集団を形成してなされる障害児療育としての保育もあった，とも指
摘しています。

　このように述べた後で，名倉は次のような点を指摘しています。いずれも障
害児保育の実践を進める上で基本となる考え方であると思います。

　「集団に入れられる程度とか，保育に入れて他の子どもたちの迷惑にならな
い場合に限ってなどと，多くの制約条件を加えられた上で，『手のかからない
障害児』ならば，多少保育の場を提供し，手助けしてもという程度にとどまり
がちであった。」

　「とくに『障害』という側面にのみとらわれ，人間全体としての育ちや生活が，
とかく見落とされがちである。」

　「『障害児保育』は一般の健康な子といわれる子どもたちの保育（いわゆる健
常児保育）と対置される全く特別な，別種の保育をさしているのではない。」

　「障害といわれるのもその子が有している一つの条件の一つとして考えるな
らば，ひとりひとりの子どもの有している特徴や条件に応じた保育は極く普通
に当然考えられるべきものである。」

　「障害児との共同統合保育は，なによりもまず，『今私の目前に一人の障害児
がいる。この子も私と同じひとりの人間であり，健康児よりも一層手厚い保育
を必要とし，求めている存在である。そしてかけがえのない生命をもって，今
日を精一杯懸命に生きようとし，生命の燃焼とその発展を願って明日に生き続
けようとしているのである。この幼い生命と私自身および私たちが同じ"生活
者"として共に生き，共に学び合い，共に育ち合うにはどのような保育が展開
されればよいか，』という保育者自身の自らへの問いかけから始まるものでな
ければならない。」[6]

　名倉の以上のような障害児保育についての言説は豊中の保育者に重要な影響
を与えてきたと考えられます。

(3)　カルテの思想と実践　―＜この子＞理解を深める手だて

　上田薫（1974）のカルテについての考え方と提案は，＜この子＞理解を深め

る手だてとして実際に活用できるものです。＜この子＞理解について深い示唆を与えてくれると思うので以下に少し紹介します。

　上田薫は「人間にまといつく先入主や思い込みを克服するための手だて」としてカルテをとることを勧めています。カルテとは，子ども理解を深める手立てで，この方法は実際に役立つ考えと方法だと私は考えます。

　「短く簡潔に，しかもこれはと思う時だけに書くべきものだ」
　「教師がおやと思ったとき，驚いたとき，その時だけそれをすなおに書けばよい」
　「方法としては，2か月のあいだに五つか六つメモされたとき，教師ははじめてそれらをつないでみればよいというのです。全く独立したそのいくつかの手がかりを白紙で連続させ統一させてみればよいのである。そこではもう先入主の働く余地はない。そのとき教師はその子について必ず発見をし，新しい疑問をもつことができるはずだ。」

このような方法を提案するのは，上田に次のような考えがあるからです。

　「人間を深く理解していく方法は，その人の中に不可解なもの，わからないものを発見しそれを解決していくということにある。ではわからないものはどうして出てくるのか。わからないとはどういうことなのか。それは手がかりと手がかりとをつなぎきれないということだと，わたくしは思う。あの人はたしかにこういうことを言っていた。しかし今現に，彼はわたくしの眼前でそれとくいちがった行為をしているのである。そのときわたくしはその人をわからないと思う。わたくしの知る二つのことがらをつなぐことができないと思う。しかし，かれの身になってよくよく考えてみれば，そして彼について第三のデータを求めることができ，合わせて三つにしてつないでみれば，そこにはわたくしの全く思いおよばなかった連続的統一が見えてくるかもしれないのである。そういう新しい統一の発見を，わたくしは人間理解の深化と呼ぶべきだと思う」[7]

このようにしてたくさんの記録をとって＜くたびれもうけ＞にならないようにすればいいと上田は書いています。これならだれでもできる方法です。そん

なにむつかしくありません。そして，このようにしていけば「若い人は若い人なりに，年かさの人は年かさの人なりに，発見の手ごたえが眼の光を一新（ママ）しているのである。おそらく人間を理解する心のひだがしぜん深くなっていることであろう」という。(注3)

　これが，具体的な一人ひとりの子ども，つまり「世界に一人しかいない＜この子＞」を理解する方法です。これなら誰にでもできるのではないでしょうか。

　(4)　保育者の自分史と＜この子＞への願い

　保育実践は保育者によって行なわれます。保育者も一人の人間です。自分自身の人生を歩んできています。その人なりの自分史をもっています。その結果，保育実践には保育者のこれまでの人生経験が反映されざるをえないのです。つまり，保育者の＜この子＞へのかかわりには，保育者の＜この私＞が影響しているのです。ですから，自分自身の保育実践を見直すためには自分史をふり返ってみるのがいいと思います。

　① A さんの場合

　保育者の A さんは自分の保育実践について次のように書いています。これは自分のこれまでの生き方を踏まえた A さんの保育観と言っていいでしょう。

　　私は，今とちがって小さい頃は「おとなしい子」で通っていました。しっかりした友だちの後ろについて同じようなことをしていました。長いものに巻かれる，事なかれ主義が私のすべてだったと思います。中高生ごろにそんな自分が嫌になり，そして，保育者になったのですが，保育をしていると，自分の思いが出せない子に気にとめるようになり，この子どもが生き生きと自分を出せるようになった時は大きな喜びを感じるようになりました。

　A さんの保育実践は，自分の思いを出せない子どもと自分の子ども時代とが重なっていたのです。自分を出せる子どもに育ってほしい，という A 保育者の子どもへの願いになっていたのでした。このように，これまでの自分の生き方が保育実践には自ずと表れるようです。

②Mさんの場合

　Mさんは公立保育園の保育者の一人です。彼女は0歳児で入所してきたHさんの保育を担当しました。Hさんは耳が聞こえにくくて補聴器をつけていました。保育所に通いながら，時々ろう学校にも通って聴能訓練をはじめとする訓練を受けていました。

　保育者たちもH君に付き添い，発語法の一つであるキュード・スピーチをろう学校で習い，保育実践の中でも積極的にこの方法を用いました。Hさんのための配慮であるのですが，共生保育を志向して生活の中で他児とのコミュニケーションにもこのキュード・スピーチを用いていました。その結果，Hさんは1，2歳と成長するにつれてかなりはっきりとした発語ができるようになってきました。

　私はこの保育を観察していて，Mさんの保育姿勢に他の保育者とは違った熱意を感じました。Mさんは実は自分の子ども時代に家が豆腐屋で，その豆腐屋に耳の聞こえない女の人が，よく豆腐を買いにきていたのを思いだしたというのです。もう昔のことなのですっかり忘れていたのですが，Hさんの母親（聴覚障害者）と話をし，Hさんの保育を担当するようになってこの子どもの頃の経験を思いだしたというのです。

　こういうことがあって耳の聞こえないHさんとの対応に関しても気持ちの上であまり気にならないで保育ができたというのです。

　Mさんの保育のどこが素晴らしいのか，そこを指摘することは難しいと思います。他の保育者もうまくキュードを使うし，熱心さに差があるわけではありません。しかし私が拝見していて，どこか違うのです。それはMさんの幼いときの経験が影響していると私には思われて仕方がありませんでした。

　後にMさんから次のような話を聞きました。

　「私の家族はみんな聴覚障害の人と関係があるようです。不思議ですね。夫は鉄道会社に勤めているのですが，最近では耳の聞こえない人にもていねいに対応するようになった，と先日話していました。以前はそんなでもなかったようです。また子ども（時代）のクラスに耳の聞こえにくい子がいて一緒に遊んでいたと言っていましたから」という話でした。

　この例は，保育実践には保育者のそれまでの人生があらわれるということだと思います。自分の人生体験が自分の保育に顔を出し，また「子どもへの願い」も自覚しているかいないかはともかくとして実践のときの子どもとのかかわり方に影響していて自ずと顔を出すのでしょうか。

おわりに

　世界に一人しかいない＜この子＞は，＜この子＞として今を生きています。保育者は保育実践としてどこまで＜この子＞の琴線にふれてかかわれるのか，というとそれは容易ではないと思います。ほんのわずかしか＜この子＞に触れてかかわっているにすぎないといった方がいいのかもしれません。改めて＜この子＞にかかわっているのかと問われれば，＜この子＞にほとんど触れていないといった方がいいのかも知れないのです。そのような謙虚な姿勢が大切だと私は思います。

　しかし，保育者が目に前の＜この子＞を見ないで，単に＜子ども一般の一人＞としてしか見ていないというのであれば，それはさみしい関係だと思います。お互いの出会いがない関係にとどまっているのは折角接しているのにこれは実に残念なことです。

　保育の世界では，時に「子どもに寄り添う」という言葉を使いますが，これはどういう意味が込められているのでしょうか。寄り添うためには，目の前の「世界に一人しかいない＜この子＞」に出会う必要があるのではないでしょうか。私はそう思います。

　保育者には，「世界に一人しかいない＜この子＞」にこだわって，目の前の子どもの名前を大切に心の中でつぶやいたり，声に出して言ったりして，実践に挑戦してほしいと私は願っています。

　実践にとりくんでいる＜この私＞と目の前の＜この子＞とのふれあいの中には，火花が散るようなぶつかりあいもあり，安心できる信頼関係もあり，また，複数の＜この子＞たち同士の複雑な仲間関係の時もあり，まさに人間同士のかかわり合いの中での実践になると思いますが，そのような実践に，感激をもって挑戦してほしいと私は願っています。

注

(1)　保育実践については次のような冊子が出されています。

　　豊中市（1985）. 共に育ち合う保育十年のあゆみ.

　　豊中市（1996）. 共に育ち合う保育　二十年のあゆみ.

　　高槻市（1982）. 障害児保育のあゆみ　高槻市障害児保育実施概要.

　　高槻市（1989）. 高槻市における障害児保育 10 年のあゆみ.

(2)　イタリアでは，「障がい」者のことを問題にする時，"diversamente abile" という言葉がよく使われるそうです。これは，今まで「障がい」者という意味で使われてきた "disabile"（できないことのある）人という言葉の考え方が不適切であるとし，"diversamente abile"（ちがう能力のある）人たちとするのが適切だとする考え方です。

(3)　上田には，次のような言葉もあります。

　　上田薫（1983）. カルテ・座席表・全体のけしき. 7-8. 上田薫編「カルテ」による授業の新生　小学 1 年. 明治図書

　　「教師は，まず教えるべきことをしっかり身につけて，それから子どもに向かうべきだと，ふつう考えられているようですが，それがじつは本末転倒のことなのです。相手が小学生であるか大学生であるか分からないのに，教材研究などしようもないではありませんか。いや，子どもの年齢はわかっているのだから教育内容も当然きまってくるはずと多くの人は反論するにちがいありませんが，それでは年齢が同じなら教えるべきことも同じでよいなどというプロらしからぬお粗末な考えの持主だということを，わざわざ告白することになっていましょう。その子にふさわしい内容をその子にふさわしいやりかたで教えることができなければ，どうあっても専門職の教師だなどということは許されぬと思います。子どものとらえかたがあまければ，与える内容もあまくなってしまいます。目先の結果だけにとらわれ，教師の都合にひきつけて事を処理することになるからです。そうなれば，子どもは教師に迎合せずにいられなくなり，生気を失うばかりでなく個性的なものもしぼんでしまうことになりましょう。教師ならだれでも本来は，子どもたちが積極性をもち自主性を確立することを強く望んでいるはずだと思うのですが，教師本位の立場に立つかぎり，たとえ善意に満ち熱意にもえていても，決してそのような願いを実現することはできないと考えます。教師があせって鼓舞激励すればするほど，子どもはすくんでしまうのです。

　こういう困難を乗り越える道は，教師がひとりひとりの子に即するということしかありません。そうできれば，子どもたちははじめて本当に生き生きしてくるのです。自分を思いきり開いて活動するようになるのです。むろんそれは，教師が子どもをあまやかして右往左往するということではありません。教師がもしひとりひとりの子を深い人間理解をもってとらえることができたとすれば，そういつでも個別的な指導をせねばならぬということはないのです。いやむしろ，集団のまま個を生かすことこそ，もっともすぐれた指導があるといってよいと思います。ひとりひとりを生かすことと集団での学習を重んずることとは，決して矛盾するものではありません。」

引用文献

(1)　八尾市（2001）．障害児保育の記録　25年のあゆみ．

(2)　堺市保育部（1976〜1985）．堺市障害児保育実施概要．

(3)　徳田茂（1980）はじめて障害の重さを知る　―ダウン症の知行とともに―．34．障害者の教育権を実現する会．『一美よ，たかく翔べ』．現代ジャーナリズム

(4)　長岡文雄（1983）．＜この子＞の拓く学習法．黎明書房

(5)　改正障害者基本法（2011）．

(6)　名倉啓太郎（1985）．共に育ち合う保育の基本的理念と課題．豊中市　共に育ち合う保育　十年のあゆみ　pp.1-6

(7)　上田薫（1974）層雲　―教育についてのエッセイ．黎明書房．51-57．

第5章　社会力を培う子育てと保育を
―こども園における対人関係の見直し―

はじめに

　私は障がいのある子どもの保育の実践研究をしています。こども園の中で，障がいのある子どもが障がいのない子どもたちと共に育ち合う様子を細かく観察して考察するのが私の研究です。この実践研究の中で，障がいのあるなしにかかわらず子どもたちの一人ひとりに社会力を培ってほしいと願うようになりました。障がいのある子どもだけが対人関係において課題を抱えているのではありません。今の子どもたち全体に言えることですが，子どもたちの対人関係能力が育っていないと感じるからです。

　ところで，対人関係能力が育っていないのは，なにも子どもたちだけではありません。大人たちこそ対人関係が下手で，うまく人間関係が築けていないのではないかと思われることが多いのです。「この親にしてこの子あり」という傾向が強くなっていると考えるのです。そして私も社会力が苦手です。

　今の大人たちは社会力を十分身につけているとは言えません。そのような大人たちのもとで育っている子どもたちの社会力が育つはずはありません。今はまず，子どものまわりにいる大人たちこそが社会力を培う必要があります。

1　社会力とは

　社会力とは，門脇厚司がその著『社会力』（岩波新書）で，新たに提案した概念です。社会力とは，これまでの社会の人間関係を脱構築（既成概念を根本から考えること）する力です。つまり，これまでの社会を支えていた人間関係を変えて，新たな社会を作るために新たな人間関係を構築していく力です。

　だから，「社会力を培う」のは，「社会性をつける」のではありません。社会性は既存の社会に適応することを意味するからです。これに対して，社会力は，少し大げさですが，社会変革をめざします。社会変革につながる人間関係を構築する力，これが社会力です。

　今は，この社会力をこそ子どもも大人も身につける必要があります。

　社会の変革を目指すためには，一人ひとりが先ず自分自身を形成し直す必要
があります。自分なりの価値観を自己の内に形成していくのです。私は，その
ような自分の価値観をもつ人こそが「民主主義社会を担う市民」となりうると
考えます。このような市民の一人ひとりが自分自身の生き方を形成しながら，
他者と価値観をぶつけ合う中で，民主主義社会は，形成され，維持，発展して
いくのではないかと考えるのです。

　社会力は，民主主義社会を担う市民が身につける対人関係能力です。価値観
の違いを超えてどこで妥協し一致できるかが一人ひとりの市民に問われること
になります。

　妥協と一致と書きましたが，主義主張を乗り越えていくという視点が重要で
す。乗り越えていくのは，「言うは易し，行うは難し」です。特に出る杭は打
たれるというこの日本文化の中では，自己主張をし合う中から不一致や対立を
止揚する（のりこえる）のは非常に困難です。しかし，このことなくして日本
に民主主義は根付かないだろうと思います。また，民主主義社会の中でないと
この社会力も培われません。そのように私は考えるのです。

2　保育者と保護者の関係

　こども園における実践研究会で，よく問題になるのは，今の若い保護者の子
育てのあり方についてです。若い母親に対する苦言がよく出されます。もっと
しっかりと子育てをして欲しいという親への苦言です。子どもの睡眠時刻が夜
遅くなり生活習慣が乱れている，子どもの気持ちを理解して相手をして欲しい，
など，親が親としての責任と自覚をもって子育てして欲しいという保育者から
の願いがいつも出されるのです。

　私はそこで保育者にお願いをします。保護者に不満を述べる前に，少しでも
いいから保育者は保護者と話しあう機会をもつようにして欲しい，と。誰でも，
自分が非難されるような人とゆっくり話をする気にならないのではないでしょ
うか。保育者は，子育てについての注文を保護者にするのではなく，まず，お
互いに語り合える関係を作る必要があります。若い母親とどのような会話を交

わすのか，そのためには，保育者の側も自分のことを語る必要があります。

　会話が交わせるようになれば，保育者から保護者への関係が一方的な関係から双方的な関係に変化してきます。このことが重要です。そうすると，会話の中で子育てについても一緒に考えることもできるようになります。指導し指導されるという上下関係から，対等な「共に考え合う関係」へと転換することが大事なのです。そのためには，保育者も保護者も，今自分の直面している問題についてまず率直に話し合えばよいのです。

　このような会話の交換から保育者と保護者との間に信頼関係ができていく契機が生まれます。社会力を培うには，切れてしまっている関係を創り出すことから始めなければならないのです。その関係ができてきたら，その関係を深めていくのです。

　社会力は相互に自分の言いたいことを言い合う関係の中で培われていきます。遠慮はいりません。そこでは表面的な関係は崩れます。関係が崩れる場合はそのような関係でしかなかったということになります。一足飛びに言い合える関係ができるわけではありませんが，不安定な関係を持続し相互にぶつかり合う中でしっかりと言い合える関係を形成していくことが社会力を培うには欠かせないのです。

3　子どもと保育者の関係

　保育者の仕事は，子どもをしっかりした人間に育てることです。子どもには乳幼児期の大事な時期に人間関係の基礎を身につけて欲しいと思います。それは，子どもに社会力の基礎をつけて欲しいということです。この子どもの社会力の基礎は，子ども同士の関係の中でこそ培うことができます。

　私は障がいのある子どもの保育について考えてくる中で，保育者の役割は，子ども同士の「育ち合いを育てる」ことだと考えるようになりました。もちろん，保育者は，一人ひとりの目の前の子どもにていねいにかかわりながら，子どもの成長・発達を促すことも大事です。これは当然ですが，しかし，それと同時に，乳幼児期から子どもは友だちとの関係の中で育っていくことが非常に重要だと気づかされてきました。

　障がいのある子どもがこども園での生活を始めると，どうしても保育者と障

がいのある子どもとの一対一の関係になってしまいます。この関係の中にまわりの子どもを巻き込んで欲しいのです。すぐにうまくいかないと思いますが，子ども同士の育ち合いを育てよう，という視点をもち保育するのが重要です。子ども同士の関係を育てるには，そこに立ち会う保育者の役割が必要なのです。

　子どもの世界ではトラブルが起きるのは当然です。この時に保育者が仲介者としてどのように関係を取り持つのか，それが保育者の力量になります。子どもの年齢を考慮して子どもの特性を見きわめ，少しでも良好な関係に転換させていく工夫が求められます。困難な関係をどう納めるのかではなく，子ども自身にも解決の方法を考えてもらいます。そして，長い目で子どもの育ちを考えて対応していく必要があります。薄紙を一枚一枚積み重ねていくような保育が求められるのです。

　子どもの社会力を培うには，保育者が仲立ちとなって，トラブルの場面を活かすことです。自分の好き勝手にはならないことを伝えながら，友だちとかかわったり遊ぶことが楽しいことだと伝えていきます。このような保育者の仲立ちによって，子どもにはトラブルを自分たちで解決する経験を少しずつ重ねて育っていきます。

　「今どきの子ども」に，手を焼いている保育者も多いと思います。今，子どもたちは，生まれてから家庭や地域社会の中で，多様な人間関係を経験する機会がほとんどありません。生身の人間関係の中でもまれていないのです。そのため，相手との関係の中で，自己主張と自制の加減を調整する力が育っていないのです。他者との関係の中では自分勝手，わがままは通用しないということを知りません。だから我慢ができずにトラブルを起こすことになります。

　今どきの子どもの育ちは，このような状況ですから，こども園における集団生活の体験は，将来，この子どもたちが社会に出て生きていく上で重要な社会力の基礎を培うには欠かせない場だと言っていいのです。

4　保育者同士の人間関係

　こども園で実践研究をしていると，そのこども園の独特の空気を感じます。どのこども園にも独自の雰囲気が漂っています。何でも言い合える空気とそれができない空気とがあります。小さな子どもたちを保育しているこども園なの

ですから，外から見るとこども園は明るい楽しい雰囲気があふれているように見えます。しかし，一皮むいてみると，生々しい大人たちのぶつかり合いの場であったりするのです。

　保育者の間に，保育について考え方の微妙なちがいがあって当然です。

　保育者はまだ幼い小さな子どもだから何も分かっていないとみなしてしまいます。そこで，子どもにはまず生活のリズムや社会のルールを身につけさせることを重点を置いて保育する保育者が多いと思います。これは「子どもを指導する保育」です。

　これとは逆に，小さな子どもであってもその子どもなりに少しずつ自分自身を形成してきていると考え，この子どもの自主性，自発性，自己主張を大事にしながら，自分で考え判断できるように育てていく保育者もいます。これは「子どもが自主的に行動する保育」です。

　保育者の保育観として，大きくこの二つのタイプに分けることができます。実際にはこの二つの間にいろんな保育者がいると考えていいのです。

　どの保育者にも，その保育者なりの子ども観，保育観があります。いつも実践の中で自覚しているわけではないのですが，この子ども観と保育観が保育を左右しています。保育者の人間関係にもこの子ども観と保育観が影響を及ぼしていると考えることができます。目の前の子どもにどのようにかかわるか，保育の実践方法が保育者の考え方で異なってくるのです。ほとんどの場合，保育者の子どもへの関わり方がそれぞれ異なることについて，いちいち気にして問題にするということはありません。しかし，保育者の意識の中では，このちがいが感じとられています。このちがいが保育者間の人間関係にも微妙に影響を与えています。

　保育実践研究会では，この保育観のちがいを対象化して，参加している保育者は自分の子どもへのかかわり方をお互いに見直すことになります。そして，自分の子ども観と保育観についても振り返るよい機会にするのです。それゆえ，保育者の仕事の仕方のちがいと，保育者間の人間関係とは切り離して考えられません。保育者間の人間関係がよければ保育実践も率直に振り返ることができます。また，保育実践が協力的に展開できれば保育者の人間関係も深まっていきます。

　もちろん，保育者も保育者である前に一人の人間です。それゆえ，自分と他者との人間関係は，保育の仕事上での人間関係とは次元の異なる，より生々しい「人間的な」人間関係が繰り広げられています。そして，保育者としての子ども観や保育観も実はこの一人の人間としての生き方に大きく左右されていると言ってもいいのです。この生き方を自覚的に見直し議論し合って実践研究ができればいいのですが，そう簡単にはいかないのが実情です。

5　保護者同士の人間関係

　最近ではこども園の保護者会の運営が難しくなってきています。積極的に保護者会の役員になり活動する人が少ないからです。その結果，保護者会の活動も低迷しています。保護者同士が，子どもをこども園に通わせていることをいいきっかけにして人間関係を豊かにするというのではなく，逆に人間関係を煩わしいことと考えているようなのです。他人に対して文句を言わないから自分のこともかまって欲しくないというのです。

　しかし，保護者間で全く関係がないというわけでもありません。気の合うもの同士が集まって交流をするのですが，保護者会の役員や活動に参加するのはいやだということのようです。

　こども園で子ども同士のけんかによって自分の子どもが傷つけられたりすると親の間でかなり深刻なトラブルが起こることもよく聞きます。我が子を傷つけた子どもの親を少々謝っただけでは許せないのです。

　今の若い親には，ややこしいことをくぐり抜けて新たな深い関係を築いていこうという姿勢が弱いのではないでしょうか。それは，親も自分が成長する過程で，人間関係の煩わしさ，難しさを越えて人間関係を形成するという経験が少ないからだと考えられます。また，わざわざわずらわしい他者との関係をもたなくても自分一人で楽しく時間を過ごすことができるということもあるでしょう。

　このような時代と社会状況の中で，保育者は，保護者同士の関係が築かれるようなはたらきかけをする必要があるように思います。保護者会の活動についてもこども園側から積極的にはたらきかけ，その活動が軌道に乗るまで見守ります。こども園と保護者会とが協力し合って行事などを行い，徐々に保護者会

だけでいろんな企画をたて実行できるようになっている例もあります。

6　対人関係の良循環を

　こども園における対人関係は，以上考えてきたように複雑です。多様な人間関係が渦巻いています。保育者は，この多様な人間関係を少しでも良好なものにしていくために日夜努力しているのです。この多様な人間関係は相互に関連しあっているので，ある一つの人間関係が良くなると，その他の人間関係に波及していきます。たとえば，保育者とAちゃんとの関係が良いものになれば，保育者とAちゃんの保護者との関係も良くなる可能性があると言っていいでしょう。また同時に，AちゃんとAちゃんの親との関係も良くなる可能性があると言っていいと思います。

　こども園の中での人間関係には，保育者間の人間関係，保育者と子どもとの人間関係，子どもと子どもとの人間関係，保育者と保護者との人間関係，保護者と保護者との人間関係があります。さらに，地域の人たちが出入りするよう

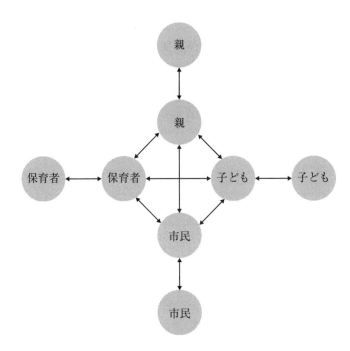

なこども園では，市民と保育者との関係，市民と子どもとの関係，市民と保護者との関係も考えられます。このような多様な人間関係が相互に関連しあっているので，この関係が良循環していけばいいですね。多様な人間関係の中で，できるところからよりよい人間関係を構築し，社会力を培っていく努力を大人は意識的にとり組む必要があると思います。あきらめずにとり組んで下さい。

　多様な人間関係を少しでも良循環させ，社会力を培っていきたいです。現代はそういう時代です。

おわりに

　こども園の人間関係について考えてみると，それはこども園の中だけの問題ではないことがわかります。現代社会は，孤独化，孤立化が進行しています。こども園の子どもたちの姿を見ると，残念ながら，社会力を身につけて育っているようには思えないのです。これは人間関係の希薄化が世代交代的に進行しているということだと思います。このような時代だからこそ，支え合えるような社会に変えていく社会力を小さな子どもの時期から培っていくことを，意識的にしていきたいと思います

　そのためにはまず，大人が日頃の人間関係を見直し，煩わしく思う人間関係からおもしろくつきあえる人間関係を創り上げていく地道な努力が必要になります。その際，乳幼児を育てる若い親たちの責任は重大です。また，こども園の保育者の役割も小さくないと思います。むつかしいけどやりがいがあります。

　参考文献：門脇厚司著『社会力』岩波新書

第6章　思い出に残る子どもと保育者

はじめに

　私は50年近く，これまで実践現場におじゃまして多くの保育実践を拝見してきました。心からお礼を述べたいと思います。ありがとうございました。

　実践の場にいると，その場の空気を吸うことができます。そして，その場にいなければ気づかない場面に直面することができます。場を共有するということはその場のドラマに自分も出演しているような気になるのでしょうか。その場に在るもの，その場に居る人を，自分のからだで直に感じ取ることになります。いわば巻き込まれて考えていることになります。

　ここでは，現場で出会った子どもたち，保育者たちについて，記憶に残っている印象深い思い出を書いてみたいと思います。自分の保育についての考え方を考え直す上で何か参考になることがあれば幸いです。

1　思い出に残る子どもたち

①「オッハー！」に応えてくれるかな？

　こども園で子どもたちと出会うとき，私は「オッハー！」とあいさつします。「おはよう」という意味です。朝でなくてもこう言って挨拶をします。子どもたちは少し驚いた様子で，しかし，おもしろそうな人だな，という感じで応えてくれます。

　しかし，私からの「オッハー！」に「オッハー！」と返してくれる子どもたちは少ないです。何，これ？という感じで，戸惑っているのでしょうか。

　それでも2，3回，私は返事を待つような感じでオッハーをくり返すと，たまにですが「オッハー」と子どもたちの方から返してくれる時もあります。このクラスは，おそらく日ごろからのびのびと自分を出すことができるクラスなのだろうと想像します。

②「おじいちゃん」

こども園に行くと，子どもたちは私に「おじいちゃん」と言います。そこで，「私はおじいちゃんじゃないよ，おにいちゃんと言ってね」と子どもたちに頼むのですが，いまだに「おにいちゃん」と言ってくれた子は一人もいません。

本当に子どもは正直です。これが素晴らしいと私は感じます。

私は眉毛が白くなっています。髪の毛もだいぶ白くなっていますが，白くなってきたら黒く染めています。だから頭の髪の毛は黒い方なのですが，眉毛は白いので，子どもたちはそれをみて「おじいちゃん」と言うのだと思います。もちろん私の動きや顔の表情などでおじいちゃんと感じとっている子もいるでしょう。

いままで，私の願いを聞いて，しかたがないからか，かわいそうだからと，冗談半分で，「おにいちゃん」と言ってくれる子どもが一人ぐらいいてもいいと思うのですが，現在のところ，本当に，誰一人として「おにいちゃん」と言ってくれた子はいないのです。

だから，本当に子どもは素晴らしいと思います。

自分を偽って，相手の要求に応えて，相手の望みに合わせて，適当にそちらの願いに合わせて，つまり忖度して「おにいちゃん」と言ってくれる子どもっていないのです。

子どもってだから立派です。

何年生になったら，仕方がないなあ，まっ，要望にこたえて言ってあげようか，というように大人になってしまうのでしょうか。

先日驚いたことに，四歳の女の子に，私ははじめて「おばあちゃん」と言われました。「えっ！」と私は驚いたのですが，よく考えてみると，私は散髪屋にこの半年以上もいっていなくて，頭の毛が頭の後ろまで長く伸びていたのです。だから「おばあちゃん」と言われても不思議ではないのです。

③Kちゃんのやさしさ

Kちゃんは養護学校の高等部を卒業して，タオル工場に通っていました。この工場では給与はもらえませんでした。それでも通うところがあるのでありが

たいといって，通うことになりました。お弁当は出ました。

　はじめの頃は一人で通うのが心配なのでお母さんがついて行っていました。その途中でバスに乗るのですが，あるとき次のようなことがおきました。

　バスに乗っていると近くに居たおばさんが，強い口調でお母さんに「こんな何もわからん子をいつもバスに乗せてなにしてるん。じゃまや」と言うのです。お母さんは，涙が出てとまらなかったそうです。

　ところが，この客がバスから降りていった後で，近く居た女の人が，「お母さん，気にせんでいいよ。この子はこの前，私がバスに乗るとき，ドアが閉まりそうになったとき，足でドアを止めてくれたんよ。ありがとうね」とＫちゃんに向かって言ったのです。

　Ｋちゃんのお母さんは，何かあると私に手紙をくれます。この時の手紙には，「この日は悲しくて泣いたり，うれしくて笑ったりでした」とありました。

　Ｋちゃんのご家族とのつきあいは，もう50年近くになります。本当にいろんなことを教えていただきました。

　この本は，保育に関する本なのでもう一つ，書いておきたいことがあります。

　Ｋちゃんは3歳から4歳までは障がい児通園施設に通いました。そこで療育を受けました。その後5歳の時には幼稚園に通いました。そこでのことです。

　Ｋちゃんが部屋の中に居るときには，他の子どもたちに園庭に出て遊ぶように園長先生が子どもたちに指図するのです。そしてＫちゃんが外に出ると，今度は子どもたちに保育室に入るように指図するのです。この指図の仕方を園長先生はあごで指図していたというのです。お母さんはこの話を私にしてくれました。そういう時代だったのかも知れません。まだ障がいのある子が一般の子どもたちと一緒に保育を受けることはなかった時代ですから。

　それにしてもひどいと思います。また，今はこのような差別的な見方，考え方がなくなったといえるのかというと，まだまだそうではないと私は思いますが。皆さんはどう考えますか？

④ルミナリエでの体験

　私は精神薄弱養護学校（当時これが正式名でした。今なら知的障がいの特別支援学校になります）で障がい児教育の実践研究をしていてＨさんに出会いま

した。それからもう46年のつきあいになります。私は彼から多くのことを学びました。それは自分がひっくり返るような体験でした。この体験を通して，私は日本の学校がインクルーシブな学校に転換する必要があると考えるようになりました。

今日本ではインクルーシブ教育に逆行した分離・別学の教育が進んでいます。障害のあるなしで子どもを分けるのが当然だ，やむを得ないことだ，本人のためにはそれがいいのだということになっています。本当に残念です。

Ｈさんが養護学校高等部一年の時，彼は私に数学の宿題を出してほしいとノートを持ってやってきました。これが最初の出会いです。確か3桁の足し算の積み算を5題ノートに書いて渡したと思います。

彼は1歳半の時に高熱で知的障がいになったと後でお母さんから聞きました。彼は言葉を話しますが，短い単語で聞きとりにくいので，なかなか分かりにくく私はつい分かったふりをしてしまうのですが，彼の方もうまく言えず伝わっていないのを感じるのか笑ってすますことが多かったのです。よだれも少し出るので話すのをやめてしまいます。

Ｈさんとつきあってきていろんなことがありました。彼が養護学校在学中には，私が言語訓練の方法を学んでいた時だったので彼の自宅に月一回訪ね，1時間半ぐらい発声訓練，言葉の獲得などの訓練をさせてもらっていました。卒業後は日曜毎に電話で近況を報告し合ってきました。そして年に2，3回会い初詣に出かけたり，食事に行ったり温泉に行ったりしてきました。

彼とつきあうようになって少しずつ彼の言いたいことが分かるようになってきました。彼は小さな会社に採用されて社長に気に入られ，そこで10年以上働いていました。会社の景気のいい時はたくさんお金をもらった(ボーナス)「大きいので12（万円）」と電話で知らせてくれました。社長が慰安旅行にみんなを連れて行ってくれたと電話で話してくれました。「しゃちょ，りょこ，行った！」「どこに？」「東京，こっち，おふろ！」と言いました。社長が慰安旅行に連れて行ってくれた，熱海の温泉に行ってきた，というのです。

ちょうど今から16年ぐらい前，神戸で開かれているルミナリエに二人で行きました。阪神淡路大震災の復興を祈念しての行事です。ネオンサインで飾られた下を二人で歩いて，最後の所を出て三ノ宮駅前に来たときでした。震災で

つぶれたそごうデパートが建て替えられ立派になっているのを前にして，「H
さん，みて，そごうが立派に建てかえられたよ。復興したなあ」と指を指して
私は言いました。すると，Hさんは，右手で後ろの方を指して何かを言うので
す。私は彼がはじめは何を言っているのかよく分からなかったのですが，彼の
言葉をつないでいくと，どうも

　「ここらへんに住んでいた人たちはどうなったか？」

　と言っているということがだんだん分かってきました。彼は震災当時にここ
らへんで暮らしていた人たちはどうなったのか，そして今どうしているのか，
ということが気になったのでしょう。

　このような感じ方や見方をしながらHさんは体験を積み重ねて生きてきたと
いうことだと思いました。この時，私はショックでした。Hさんに対する見方
が大きく変わったときでした。

　私たちはいろんな体験をして生きています。それをからだに記憶して生きて
います。そして，その記憶のあるものは忘れ去り，あるものは記憶にとどめ自
分が生きる糧にして生きているのだと思います。

　私は団塊の世代の一員です。小学校4年生のときにいじめに会った時のこと，
小学校6年生の時の伊勢湾台風の時のこわい体験，大学紛争でのことなどなど，
自分の生き方にとって節目となった体験は今でも鮮明に思い出すことができま
す。しかし，体験の多くは忘れ去って憶えていません。しかし，自分一人では
思い出すことがないことでも相手との話し合いの中でふと過去の体験を回想し，
そういうこともあった，そういう見方もできるかもしれない，このような振り
返りが自分の今の生き方に影響をあたえると思うことがあります。

　このような人の歩み方は，Hさんも同じなのではないでしょうか。Hさんも
いろんな体験を積み重ねてきたと思います。しかし，Hさんの場合，まわりの
人とのかかわりが限定されていたり，またマイナスイメージで見られているの
で，過去の体験を思い出したり考え直す機会が少なかったのかもしれません。
さらに，この人は知的障がいがあるので，分かっていない，理解できない，い
ろんなことを考えることができない人なのだと見なされてきたのです。このこ
とが彼を孤立させ自分の体験をふり返る機会を奪ってきたのだと思います。

　親も先生も，専門家も友だちも，まわりの人のほとんどの人が，本人とコミュ

ニケーションがとりにくいのでずっと長い間，彼を「分かっていない人，考えられない人」「知的障がい者」とみなしてきたのです。私もHさんをそのようにみてきたのです。そしてこの見方こそがまちがいなのではないか，と気づくのに私は30年もかかったということです。しかし，30年かけてようやく同じ人間なんだということにも少しは気づくことができてきたのだと思うのです。

2 思い出に残る保育者

①四国の保育者，一人だけ

私は今まで何人の保育者の人に出会ってきたのでしょうか。何千人もの保育者にお目にかかり，その保育実践を拝見し，話し合ってきたと思います。

本当に私は現場の実践に学んできてよかったとつくづく思います。

この保育現場に行って，そこに居ないと体験できないことを体験できたのですから。

そのような中でこんなことを体験しました。

私が保育室に入ると保育者は私を子どもたちに紹介してくれます。

「今日はお客さんが来て下さっています。挨拶をしましょう。堀先生です。おはようとございます」と言います。子どもたちは，一斉に「おはよーございます」と言ってくれます。これが普通です。

ところで，このようにまだ保育者が私を紹介する前に，私が保育室をウロウロしていると，そこに居た子が「おっちゃん，だれ？」とか「おっちゃん誰のお父さん？」と声をかけてくれます。五歳クラスの子どもになると「教育委員会の人？」と聞いてくる場合もあります。

このように子どもから「おっちゃん」と言われて子どもとのやりとりが始まるのを私は楽しみにしているのです。しかし，この時に保育者が近くに居ると，「おっちゃんではありません。ほりせんせいです」と言うことが多いのです。

ところが，子どもが私に「おっちゃん」と言ったときに，「そうこのおっちゃんはね，……」というように，子どもたちと同じように，あるいは子どものそういう見方を認めて，子どもとの関係をつないでくれた保育者がいました。これがはじめての保育者でした。そしてそれ以降このような保育者は一人もいま

せん。この一人の保育者は四国の徳島の小さな保育所の保育者でした。

②保育所の所長さんの言葉

　Nくんは，ダウン症という障がいがあります。三歳になって近くの公立の保育所に入所することになりました。初めて保育所に来たとき，門のところで所長さんがNくんとお母さんを待ってくれていました。

　所長さんが，「Nくん，おはよう」としずかに挨拶をしました。すると，Nくんはお母さんの後ろにかくれてしまいました。お母さんは，Nくんを所長さんの方に押し出して頭を手で軽くおさえてあいさつをさせようとしました。それを見て，所長さんは「お母さん，Nくんがお母さんの後ろにかくれたのが，Nくんのあいさつですよ」と言われたのです。

　ああ，きょうはNくんの初登所の記念のいい一コマになったな，と私は感じました。

　Nくんがこのような保育所で遊ぶことになるのを，お母さんはさぞかしうれしく思い安心したことでしょう。

③自分が保育所児の時，自分を出せなかったという保育者

　自分は保育所で育ったが，そのときは，しっかりした友だちの後をついて遊んでいたのを思い出します。そのしっかりした子の指示に従っていたというのではないのですが，その子のリードで遊びが展開していたというのです。

　高校生になって，自分の消極的な性格が嫌になって，もっと自分のしたいことを自分から選んで積極的に生きていきたいと，感じたようです。そして，保育者になる決心をして，保育者になりました。

　保育者になって子どもたちとかかわってみると，子どもたちの中にかつての自分に似たような子が目につくというのです。その子は自分の好きなことをして遊ぶというよりも，しっかりした子のリードのもとで自分を出さずにいて，自分のしたいことをするというよりはしっかりした友だちの仲間に入れてもらって遊んでいるのが見えてくるというのです。

　その子は今そのようにして過ごしているので，それを改善してあげようとするのではないのですが気になるわけです。もう少し自分の好きなようにしても

いいのではないかと感じたようです。そして，その子が自分からから少しでも
積極的に行動している姿に気づくとうれしくもなり，はげましたくもなるとい
うことでした。

　これはかつての自分のすがたと，今目の前にいる子どもとが重なって見える，
ということですが，こういうことは，よくあるのではないでしょうか。

　同じような話を聞いたこともあります。

　保育者の夫が，精神的な悩みを持っていて調子のいい時とよくない時がある
のです。調子がよくない時には，朝起きて急に隣の夫からたたかれることがあ
るというのです。ですから，この保育者は朝目が覚めると隣の夫の目を見るこ
とから一日が始まるというのです。

　そしてこの保育者は，保育をしている時，子どもの目を見て保育しているそ
うです。

④「私は子どもが好きでないんです」

　この保育者は，私が出会った保育者の中で一番子どもたちに「適切に」かか
わっているように感じた人です。この保育者はなぜ一人ひとりの目の前の子ど
もに即した対応ができるのか，私は感心して不思議に思ったのです。そこで，
この保育者と話し合ってみました。50代の保育者です。この人が，言いました。

　「私は子どもがあまり好きではないんです」

　「えーっ，そうなんですか！」と私は驚きました。ではなぜ保育者になった
のでしょうか。このことを私は聞きませんでした。

　そして，私なりに考えたのです。よく見ると，この保育者は少し距離をとっ
て目の前の子どもをよく見ています。そして自分なりにどういう子かを考えて
判断をし，その上でこの子に対応している，ということがわかってきました。

　この保育者と出会って，私はあることを思いつきました。それは私が保育者
養成をしているときに，なぜ保育者になりたいのか，と学生たちに聞くと，「子
どもが好きだから」と多くの学生が答えていたということを思い出したのです。
つまりこの保育者とだいぶ異なるのです。むしろ反対なのです。

　子どもが嫌いだ，というのではやはり保育者になってもらっては困る，と私
は考えます。しかし，この保育者は，子どもを嫌いではないが，好きではない，

と言っているのです。その一方で，保育者になりたい学生の多くは，子どもが好きだから保育者になりたい，と言っているのです。そして保育者になったという人も多いと思います。

　しかし，です。子どもが好きだからいい保育ができるとは限らないのです。

　むしろ，子どもが好きで楽しく一緒に遊ぶ時に，相手の子どもを自分の好きなように扱っている，利用しているかも知れないのです。

　このようなことを私はいろいろと考えてしまいました。

　この達人のような保育者はどういう人なのか，それは目の前の子どもの一人ひとりを一人の人間として，自分と同じ人間の一人として接しているのではないか，ということです。このような言い方は少しおおげさかもしれませんが。

　例えば何もしていないように見える子どもがいるとします。どのような声かけをしたらいいのでしょうか。この保育者はほとんど声をかけない，その子がこの保育者を見て話しかけてきたらもちろんそれに応じます。子どもが言っていることを聞いてそれに応じて対応します。それがこの保育者の判断と行動です。つまり，あまりおせっかいではないのです。少し醒めている感じでしょうか。落ち着いています。子どもと少し距離をとるようにして，少し冷静に子どもを自分なりに理解してかかわっているのが伝わってきました。子どもを一人の人間として自分の見方でかかわっているのです。全部の子どもにこのように対応しているのではないと思うのですが。

　子どもと楽しく一緒に遊んでいる保育者のかかわり方は，まだ幼い子どもたちと過ごすのですからその方がいいという考えが普通でしょう。しかし，ここに紹介している保育者のような人が一人くらいいてもいいのではないでしょうか。一人くらい。私はそう思いました。

　このへんは微妙なことなのでうまく伝わったかどうか心配です，つきつめていくと，保育とは何か，という問題に行き着くのかも知れません。

⑤子どもに変化を願う前に

　この保育者は保育者になって3年目にAくんと出会いました。Aくんは2歳の時から受け持っていて3歳児になっていました。堀は2歳児の時のAくんを知っています。保育者の皆さんがAくんにどう対応したらいいのかと悩

んでいました。

　Ａくんが保育所に来ると，まわりの子どもたちが蜘蛛の子が散るようにＡくんのまわりからいなくなるのです。Ａくんは，他の子が近づいてきただけで急にたたくのです。なぜ，たたかれるのか，まわりの子たちには分かりません。しかし，そういうことがよく起こるのですから，まわりの子どもたちもＡくんが来るとおびえてしまうのです。しかし，Ａくんは私を殴ったり叩いたりはしませんでした。

　Ａくんの担任のこの保育者ももちろん悩んでいました。Ａくんはいらいらすることが多かったのですが，それには理由があったと思います。この保育者が「おはよう。Ａくん」と声をかけると「おはよう言わへん」，目が合うと「見るなー」「大嫌いや」と言われ続けたそうです。

　しかし，２年目になって「Ａを変えるのではなく自分の方が変わらなければ関係を築けない」と気がついたそうです。なぜ，そのように気づいたのかは私は聞いていません。

　お昼寝の時，Ａくんが隣のクラスとの壁を足でドンドンけるので，今までなら「やめて」と言っていたのを「どうしたいと思ってる？」と聞いてみたそうです。するとＡくんは「ドンドンするの」と言いました。そして，しばらくするとＡくんは「うるさいか？あかんな〜」と言ったそうです。保育者は「そっか〜，Ａくんはそう思うんやね」とだけ答えたそうです。するとＡくんはしばらくしてけるのをやめました。

　汽車遊びが大好きなＡくんは，遊びだすと気持ちを切りかえられずに次の活動に移れないことがしばしばありました。そのときも，「あとどれくらいしたら来てくれる？」と聞くと，Ａくんは「これしたら行くわ」と言い，保育者は「ＯＫ！待ってるね」と答えます。Ａくんを信頼して任せると，彼は自分で切りのいいところを決められるようになってきたのです。「来てくれたね。ありがとう。うれしいわ」と大げさに伝えるとＡくんは照れ笑いしたそうです。保育者はこの瞬間のＡくんの気持ちをしっかり受けとめ，共感するとＡくんはとても穏やかに気持ちを切りかえたりできるようになってきました。

　こういう中でＡくんの友だちとの関係も変化してきました。友だちの持っているじょうろがほしくて強引にとろうとして拒否されたので，Ａくんは相

手をたたきました。「Aくんどうしたかったの？」「貸してほしかったん」「Bくんも使いたかったんだね。どうしようか？」と答を子どもたちにゆだねたそうです。二人は「順番交代にするわ」と子どもたちで解決できるようにもなってきたそうです。

　あとで聞いたことですが，Aくんの家では両親がお互いに言い合い殴り合ってけんかしていたということも分かってきました。

　Aくんはこの保育者との関係を通して落ち着いてきました。小学校に行っても保育所にたずねてきたそうです。保育者も学校の参観日には行って連絡を取り合っているそうです。

⑥じっと子どもを見守り続けて，子どもの変容をふり返る保育者

　ここにも私が感心した保育者がいます。それは子どもの育ちをじっと長い時間をかけて見守り続けている保育者でした。

　4月のはじめ，まだAちゃんは他の子との関係がスムーズにいきませんでした。他の子がさそってもそれに応じず，一緒に遊ぶことがなかったのです。保育者はそんなAちゃんが気になり，ずっとAちゃんの他児との関係をメモにとり見守ってきていました。

　9月の運動会の練習の時，二人で2輪車を押す競技では，押すのをBちゃんにゆずりました。Aちゃんは，翌日もまた，「明日かわってよ」とまたこの時もBちゃんに押すのをゆずりました。そして，次の日にはAちゃんがじゃんけんで決めるのを提案しました。

　そこで，この保育者は，4月から9月までのAちゃんの姿を思い出してふりかえっています。

　4月：Aちゃんは他児から遊びにさそわれても応じない。

　5月：AちゃんはBちゃんとままごとをするようになったが，自分が「おねえちゃんする」と言っている。Cちゃんとの関係では自分を出すようになっている。

　6月：AちゃんはCちゃんと一緒に新聞破りの場面で，よくしゃべる姿が見られるようになった。

　7月：「次，Aちゃんに代わって」と言えるようになった。

9月：運動会には，Bちゃんにゆずるようになった。

このように，この保育者はこれまでのAちゃんのすがたを思い出しています。

別の機会に私は，この保育者の子どもとのかかわりを拝見したことがあります。少し離れて静かに子どもたちの様子をうれしそうに見ている姿がありました。

⑦足元で眠っていた子どもがいとおしく思えた

保育者からの報告を聞いて私は考えてしまいました。

5歳の子がまた友だちに手を出してしまいました。こういうことがよくおこって保育者は悩んでいました。お母さんが子どもを迎えに来たとき，保育者は今日あったトラブルを伝える必要があるのでお母さんに今日あったことを伝えます。その時間が少し長くなってしまったのですが，ふと気づくとお母さんと自分の二人の足元でこの男の子が眠ってしまっていたのです。

この子どもの寝姿を見て，この保育者はいとおしく感じた，というのです。そして，もうお母さんに話すのをやめて，「おうちでこの子をせめないで下さいね」と言って帰ってもらったというのです。

そして翌日からこの保育者は昨日の＜自分がいとおしく思ったこと＞を思い出してその子とかかわるようにしたというのです。そうすると，その子はこれまでのように友だちに手を出すことがなくなってきて，おとなしくなってきたという報告でした。

⑧「菓子パンでなにが悪い!!」

保育園で年度末のまとめを話し合っているとき，ある子の母親が，自分の子どもに菓子パンを与えてすませている，食事の代わりにしている。もう少し子どもをしっかりと育てほしい，というような発言が保育者からでました。これを聞いた他の保育者から強く「菓子パンで何が悪いんですか。私もそうだったよ」という発言がなされたのです。

この場に私は居合わせていません。しかし，この発言の価値が噂になって，後に語り継がれていくことになり，私の耳に入ったのでした。これは貴重な重要な発言だと私も思いました。

　貴重な発言です。まずこう抗議した保育者は，自分のこれまでの生き方，人生をかけての発言であることにちがいありません。自分も菓子パンで育ってきたというのです。

　また，なぜ菓子パンになったのか，その母親や家族の生きている現実と背景をみないで，目の前の現象だけで一般論として処理した意見に対する貴重な異議であったのです。このやりとりは，この保育園が，障がいのある子を受けとめ，また夜間保育所も開いている，そういうとりくみをしている園の基本方針とも関係があると私は感じました。この保育園では日ごろの実践もこのような基本姿勢とつながったものになっているはずだと思いますが，このような基本姿勢はそう簡単に浸透していきません。そこで働く職員の一人ひとりが自分なりにどのように受けとめ実践につなげているのか，それは人様々です。

　このようなやりとりを通して，この保育園，この法人の実践がその都度問われてきたのです。私はこのような法人での話し合いに参加する機会がもてるのをたのしみにして長いつきあいをさせてもらってきました。

⑨「足で保育をしたこともあったよ」

　幼稚園に障がいのある子どもが二人そろって入所してきました。二人の子どもはじっとしていません。保育者の1対1の対応が必要です。保育者の数も十分ではない保育体制でのもと，懸命の保育がとり組まれています。

　人手の足りない中で，子どもへのかかわりは大変です。子どもたちの状態をよく見て，個別に応対する必要もあります。クラス全体の保育を進めながら，一人ひとりの子どもの状態をよく見て，今からすることを指示し声かけをし，遊具を用意したり，抱いてあげたり，複数の子どもたちに同時にかかわる必要もあります。

　このような保育体制に余裕がないとき，その時にとっさに目の前の子どもに足で子どもにかかわることもあった，という話しをこの保育者本人からききました。足でどうしたのでしょうか。足であやしたのでしょうか。足を使っての保育をせざるをえなかったという報告でした。

　これは，子どもたちの数に対して十分な保育者の人数がなかった，この大変な中で一生懸命の保育がとり組まれていたことを物語るものでしょう。

このような実践の中で保育者の連携のもとで，まだ経験の少ない中での，障がいのある子も含めた「統合保育」が始まったのでした。歴史の一コマを伝える言葉です。

⑩子どもは子どもの中で育つ，「はらっぱ」の原像のもとで

はらっぱで，子どもは子どもの中で育った。このように自分の子ども時代をふり返える人は今は少なくなりました。堀の子ども時代は，まだ戦後間もない頃で，大人は働くことで精一杯で，子どもにかまっている余裕はほとんどありませんでした。

戦後のベビーブームで，子どもがいっぱいでした。子どもたちは日が暮れるまで外でたむろしてよく遊んでいました。この時代の子どもたちのことを，「生命力あふれる子」という人もいるぐらいです。日が暮れるまで外で遊びほうけていたのです。

この時代の子どもの育ち合いの風景を，子どもが育つ原像として考え，子どもたちにたくましく育ってほしいと願う保育を実践しているところもあります。<はらっぱの保育>が現代の保育としてとり組まれているのです。

この保育は当然異年齢による子ども同志の育ち合いを基本とする保育です。子どもたちがぶつかりあい，相手のことをほっとけない仲間として助け合い，自分たちの中で起きてくるトラブルや問題を話し合って解決していくのです。

年下の子どもはおねえちゃん，おにいちゃんを頼りにします。おねえちゃんやお兄ちゃんになった子どもたちは，責任感をもってグループを作り運営するのに悩み，知恵をしぼり，経験を積んでいきます。

このような子ども同志が育つ場では，大人による誘導はできません。むしろ大人の方こそ子どもならではのすごさに感心し，学ぶことがあります。本書のタイトル『子ども同志の響き合い讃歌』はそういう思想を表現したものです。

⑪若い保育者への期待

この原稿を書いている一週間前の巡回保育の時，2歳クラスを参観しました。2歳クラスですがもう3月ですからみんな3歳児です。このクラスの保育を15分ほど参観しました。

　リトミックの中で子どもたちは生き生きとして体を動かしていました。左まわりに走っています。そこで，私も参加して丸く走りました。しかし私は，右回りに回りました。その次のグループの時は，私は丸く回らずに行き来して直線的に走りました。顔に表情もつけて，大げさな動作で。

　どこにいってもリトミックは型があって固いものになっています。なぜ，左回りなのでしょうか，時々休んではいけないのでしょうか。みんなとちがうことをしてはいけないのでしょうか。おそらくリトミックが考えられたときにはもっと柔軟で自由なものだったのではないでしょうか。

　どこにいってもリトミックは同じです。子どもたちがたのしそうにしている，そしてだんだん上手になってきている，よく見ればその子なりの工夫も見られるので個性的な参加になっている，確かにそうでしょう。しかし，私はリトミックが好きではありません。

　一番問題なのは保育者が得意になってリトミックをさせているからです。このようにできるようになってきた，こんなふうに育ってきた，それを見て，保育者はうれしそうに保育しているのです。これでいいのかもしれません。しかし，私は好きになれません。問題なのは，これでいいのかと見直す姿勢がないからです。閉じた世界の中での保育になっています。保育者の一方的な指導による保育です。私の見方が少し偏っているのかも知れません。

　この時，おもしろいことがおきました。

　この若い保育者は，リトミックの後，子どもたちに向かって，「つぎにどんなたのしいことをしようか？」と言ったのです。

　子どもたちに自分のしたいことを求めたのです。

　残念ながらすぐこんなことをしたいという意見は子どもたちから出なかったのですが，私はこの若い保育者に期待を感じました。このようにしてリトミックも見直してほしいと私は思いました。

　以上，思い出に残っていることを思い出すままに書き連ねてきました。現場にいくといろんな子どもと保育者に出会います。こうして，保育を見て考え，学ぶ中で私自身が養われてきたんだな，と感じています。

おわりに

　本書のタイトルを「子ども同志の響き合い讃歌—ちがうから，豊かになれる—」としました。子ども同志が助け合ってこれからの社会を創っていってほしいと切に願う気持ちを託しました。これからの時代はきびしいと思います。だから子どもたちに期待します！

　讃歌という言葉を聞いて，ダークダックスが歌っていた「雪山讃歌」を思い出す人もいるでしょう。雪山の峰をめざして歩む気持ちが伝わってくる歌だと私は思います。

　保育や教育について大人が考えると，どうしても子どもはその保育・教育の対象に位置づけられてしまいます。この原稿を書いていて，私はこれが大きなまちがいなのではないか，と気づきました。

　私たち大人は，子どもたちと水平の関係の中で，これからの社会をどう創っていけばいいのか，と一緒に悩み，考えていけばいいのだと思います。つまり，子どもたちと連帯することこそ必要なのです。そういう目で子どもを直に見たいと思いました。

　子どもはこの社会の影響を受けつつも，この社会のおかしなところに鋭く気づき，この社会を作りかえていこう，そのように生きています。そう私は感じます。

　子どもたち同志で響き合い，私たちの横で，そして私たちの前に進み，私たちを気にせず，新道を切り拓いていってほしいと願っています。

あとがき

「ずっこい」，この言葉がきっかけになり，この本をつくることになりました。2014年にインクルーシブ（共生）教育研究所を設立する契機になった言葉です。

　私は退職して田舎の三重県に帰って魚釣りでもして老後を過ごそうと考えていました。私がこのことを当時路交館理事長をされていた枝本信一郎さんに言うと，「あんただけ好きなことをしてずっこいよ」と返されたのでした。そして，「法人の研修にもかかわってもらい，インクルーシブ保育・教育の推進もまだまだ必要だから，研究所を作って一緒にやりましょう」と誘われたのでした。

　私は聖愛園の実践から貴重な影響を受け，枝本さんの発言の底流にある思想にも影響を受けてきました。そこで，そうやなあ，もう少し現場の実践から学ぼうかと決心したのでした。

　インクルーシブ（共生）教育研究所は，この10年間，路交館の行事や研修に参加する傍ら，法人の職員の皆さんと共に，研究所事務局の宮崎勝宣さんを推進役として，金徳煥さんにも加わってもらい，全国の各地の社会運動に学ぶという研究会を重ねてきました。

　このような中で，2024年の1月7日に，聖愛園の「障がい」児共同保育50周年記念大会も無事終えました。そしてようやく，この本ができました。

　本書はインクルーシブ保育に関する私の実践研究のまとめです。子育て，保育，教育に関心のある人に読んでいただきたいと思います。そして，どうぞ遠慮なくご批判下さい。

2024年3月20日　　　　　　　　　　　　　　　　　堀　智晴

〈初出一覧〉

- 第1章:「みんなよっといでよ!」は,隔月の雑誌『新・幼児と保育』(小学館)に2011年6・7月号から2014年2・3月号まで,3年間連載した「みんなよっといで!」を元に少し書き直しました。
- 第2章:「インクルーシブ保育を創るには?」は,小山望編『インクルーシブ保育 ―共生社会に向けた保育の実践―』5-8,建帛社(2023)を一部書き直しました。
- 第3章:「インクルーシブ保育の意義とその実践上の課題」は,日本保育学会『保育学研究』第55巻1号(2017)85-99,に書いたものを元にしました。
- 第4章:「障がい児保育の歴史と子ども理解 ―世界に一人しかいない<この子>の保育―」は,日本保育学会編『保育学講座1,保育学とは 問いと成り立ち』227-250(2016)に書いたものを元にしました。
- 第5章:「社会力を培う子育てと保育を ―こども園における対人関係の見直し―」は書きおろしです。
- 第6章:「思い出に残る子どもと保育者」は,書きおろしです。

著者略歴

堀　智晴（ほり・ともはる）

1947 年に三重県四日市に生まれ育つ。団塊の世代。東京教育
大学で大学紛争を経験。
大阪市立大学生活科学部で主に障がいのある子の保育・教育に
ついて研究。今の研究テーマはインクルーシブ保育・教育の実
践研究と障がい者問題・人権問題。著書に「障害のある子ども
の保育・教育」（明石書店），「保育実践研究の方法」（川島書
店）など。現在インクルーシブ（共生）教育研究所代表。

子ども同志の響き合い讃歌
インクルーシブ（共生）教育研究所双書

2024 年 6 月 10 日　第 1 刷発行

著　者　堀　　智　　晴
発行者　中　村　裕　二
発行所　㈲ 川　島　書　店

〒 165-0026
東京都中野区新井 2-16-7
電話 03-3388-5065
（営業）電話・FAX 03-5965-2770

© 2024
Printed in Japan

印刷・製本　モリモト印刷株式会社

落丁・乱丁本はお取替いたします　　振替・00170-5-34102

＊定価はカバーに表示してあります

ISBN978-4-7610-0962-5　C3036

西淡路希望の家で学んだこと

枝本信一郎 著

大阪・保育所聖愛園の「障害」児共同保育50周年を記念して刊行するブックレット（インクルーシブ（共生）教育研究所双書）。本書は，初代施設長として聖愛園の取り組みをもとに，その延長上にあった西淡路希望の家（知的障害者授産施設）の活動で学んだことを省察した論考。

ISBN978-4-7610-0951-9 A5判 124頁 定価1,980円(本体1,800円＋税)

出会いが育んだ地域活動

金徳煥 著

大阪・保育所聖愛園の「障害」児共同保育50周年を記念して刊行するブックレット（インクルーシブ（共生）教育研究所双書）。本書は，日韓の保育交流に尽力してきた著者が，在日として生きてきた半生と地域活動における人びととの出会いを，懐かしさと感謝をこめて綴った報告書。

ISBN978-4-7610-0952-6 A5判 104頁 定価1,650円(本体1,500円＋税)

障碍のある子どもとの教育的係わり合い

小竹利夫 著

「こどものへや」で子どもたちと係わり合いを続ける中で，子どもたちやそのお母さん，お父さん方から沢山のことを教わりました。…本書は，長年，障碍のある子どもたちの育ちを応援してきた著者が，彼ら一人ひとりの思いに寄り添った，感動の実践記録。

ISBN978-4-7610-0935-9 B5判 158頁 定価2,420円(本体2,200円＋税)

ミュージック・ケア

宮本啓子 著

ミュージック・ケアは，音楽療法の一つとして近年，めざましい発展をみせているが，本書は，師の加賀谷哲郎の教えを受け継ぎ，長年にわたって福祉の現場で実践をかさね，大きな成果をあげてきた著者が，その基本と実際を体系的に紹介する，初めての基本書。

ISBN978-4-7610-0886-4 B5判 174頁 定価2,750円(本体2,500円＋税)

コミュニティ・プロファイリング

M.ホーティン／J.パーシー・スミス 著 清水隆則 監訳

コミュニティ・プロファイリングとは，「地域の姿を描くこと」すなわち地域調査の新技法である。定評のある本書は，その基礎と方法を分かりやすく考察したもので，わが国の地域福祉や地域創生にとって有益なアイデアと指針を与える，関係者必携のガイド。

ISBN978-4-7610-0924-3 A5判 205頁 定価2,530円(本体2,300円＋税)

川 島 書 店

https://kawashima-pb.kazekusa.jp/ 　　　　定価は2024年5月現在